MW00441103

Né en 1975, Julien Suaudeau vit à Philadelphie. Après *Dawa* (2014), *Le Français* est son deuxième roman.

DU MÊME AUTEUR

Dawa
Robert Laffont, 2014
et « Points », n° P4117

Julien Suaudeau

LE FRANÇAIS

ROMAN

Robert Laffont

TEXTE INTÉGRAL

ISBN 978-2-7578-5853-0
(ISBN 978-2-221-18770-8, 1re publication)

À ceux qui crèvent

I

ÉVREUX

1

Tôt le matin, dans le noir et le froid, on reconnaît les hommes. Peu importe ce qui les attend dehors, le travail ou le vide des heures : il y a les hommes, qui se lèvent sans y penser, et il y a les autres. Ici, on est des hommes.

Tout à l'heure en me réveillant j'ai vu le gel sur le carreau de la fenêtre. J'aime l'hiver, les jours mornes et sans lumière, le vent qui miaule sur le plateau et qui vous glace les os. Mais il n'y a rien que j'aime plus que dormir, sans parler des rêves, du repos, parce que dans le sommeil j'oublie que j'ai le devoir de vivre et d'être humain. Ce n'est pas une question de température, ni de confort. Je dors : je ne sais plus si je suis un homme ou l'un de ces fantômes sans courage. Quand j'ai les yeux ouverts, je ne connais aucun moment doux comme celui-là.

Je me suis levé et j'ai laissé le froid de la chambre se coller à moi comme une deuxième peau. Sous la douche, le filet d'eau tiède ne m'a pas réchauffé. J'ai enfilé mes habits et dit bonjour à mes idées noires. Comme tous les matins, j'ai vu la journée s'étaler devant moi. J'ai vu les livraisons en rase campagne, dans ces maisons de paysans au chômage souillées par la fiente de volaille, les néons durs et sifflants de l'entrepôt, et j'ai entendu les reproches du patron. Puis j'ai senti dans l'obscurité quelque chose de plus sinistre, et la sensation de cette chose en moi m'a fait frissonner.

Maman finissait son bol de café quand je suis entré dans la cuisine. Elle écoutait les nouvelles à la radio en regardant les offres d'emploi, ses boîtes d'anti-inflammatoires alignées devant elle à côté de ses bons de réduction. Depuis quelque temps Maman dit qu'elle veut retrouver du travail. Elle dit que le docteur se mêle de ce qui ne le regarde pas quand il lui conseille d'attendre. Mais, la nuit, je l'entends pleurer de douleur. Je sais qu'elle se réveille parce que ses nerfs lui font mal. Il y a quelques mois, à la fin de l'été, Maman a eu un accident de voiture. Elle n'en parle jamais et se contente de dire : « Ça me pince. » Quand je regarde son visage fatigué et pâle, je vois bien que c'est plus qu'un pincement.

J'ai mis mon blouson, embrassé Maman et je lui ai demandé si Nono avait fini par rentrer hier soir. Elle n'a rien répondu. Maman n'aime pas beaucoup parler, surtout de Nono, et surtout si c'est moi qui aborde le sujet. « Tu passeras au garage ce soir. Ils ont laissé un message, tout est réparé. Il n'y a plus qu'à payer. » J'ai répondu que je n'aurais pas assez d'argent. Elle a eu une quinte de toux et m'a dit de prendre ce qu'il fallait dans son sac. « Ton père a travaillé très tard, il a bien le droit de se reposer. Ne fais pas de bruit en sortant. »

Dehors, il faisait encore nuit noire. Le berger allemand des Bianconi a couru jusqu'à la haie de lauriers pour aboyer comme tous les matins. Dans le quartier, on dit qu'il n'y aurait rien de tel qu'un coup de fusil perdu pour délivrer tout le monde de cette misère, le chien y compris. On se rappelle aussi que les Bianconi sont les premiers Italiens à s'être installés par ici, autrefois, et que de génération en génération ils ont toujours vécu avec un berger allemand et aboyeur chez eux. Des Italiens amateurs de chiens allemands : quand il a un peu bu, Nono penche la tête du côté de leur maison et dit que depuis la Seconde Guerre mondiale l'histoire a tendance à bégayer. Puis il dit « Vivement la troisième, qu'on en finisse avec tout ce merdier ». Si Maman lui fait les gros yeux ou s'il y a un invité, il ajoute « Enfin, j'me comprends », et il se ressert un verre.

Pourquoi Maman s'obstine à me dire « ton père » au sujet de Nono ? Je n'ai rien contre lui, même les soirs où il rentre ivre et qu'il me cogne. Il répète en me frappant : « Tu l'as bien cherché. Essaie encore un peu de te foutre de ma gueule. » Je ne sais pas ce qu'il veut dire et je ne lui demande pas de comptes ; je pense qu'il doit avoir ses raisons. À la longue, la vie cogne plus fort et laisse moins de traces.

Voilà ma façon de voir : on n'a qu'un père, et le mien est parti il y a longtemps. Je le croise de temps en temps, au marché, quand il descend en ville pour vendre la production de sa ferme. J'aperçois sa longue silhouette du coin de l'œil, et je sais qu'il m'observe derrière son étalage avec un sourire figé, toujours le même quelle que soit la saison. Moi, je fais semblant de ne pas le voir.

Dans le bus, après six ou sept minutes de route, alors que je sentais mes jambes engourdies par la chaleur et ma tête lourde contre la vitre, j'ai senti un frémissement à côté de moi. C'était un mouvement aussi léger que l'atterrissage d'un oiseau sur sa branche. J'ai ouvert les yeux et j'ai vu le beau visage rond de Stéphanie. Ses joues étaient roses et brillantes, ses cheveux bruns mouillés. Son odeur de crème hydratante, mélangée à celle de son corps, imprimait dans l'air hivernal un parfum de plage et d'été. Comme la dernière fois que je l'avais croisée, je lui ai souri pour qu'elle ne se rende pas compte que j'avais envie d'elle. Je lui ai demandé si elle travaillait ou si elle étudiait cette semaine. Stéphanie a éclaté de rire, découvrant le blanc régulier de ses dents. Jamais je n'avais entendu un rire aussi vrai. « Si j'avais cours aujourd'hui, a-t-elle dit en me fixant de ses grands yeux verts, tu crois que je serais dans le bus à cette heure-ci ? »

Je me suis trouvé idiot et j'ai senti le sang me monter au visage. Le jour se levait sur le plateau, l'arrêt de Stéphanie approchait, et je ne savais pas quoi lui répondre. Elle s'est levée en tournant la tête et j'ai respiré l'odeur fraîche du shampoing dans ses cheveux. Mes oreilles brûlaient. Stéphanie s'est tournée à nouveau vers moi et elle s'est penchée pour me dire quelque chose que je n'ai pas compris. Je n'entendais plus que le sang battre dans mes tempes et je ne voyais plus que la forme pleine et douce de ses seins sous son pull. Elle a souri en surprenant mon regard, et elle a répété ces paroles irréelles : « Tu te souviendras du café ? Sept heures, ne sois pas en retard. »

La matinée a été semblable à toutes les autres, ni trop lente, ni trop chargée – une succession de blocs d'une demi-heure tracés d'un coup de feutre bien net sur le tableau du chef d'équipe. Comme mon binôme était toujours en arrêt maladie, la logistique m'a prévenu qu'Ali, le vieux Tunisien, allait m'accompagner jusqu'à nouvel ordre. Ça ne me posait pas de problème, et nous sommes partis sur la route.

Dans la camionnette, Ali a scruté longtemps la ligne sombre du plateau qui allait et venait derrière les arbres nus et les immeubles. Il avait l'air de faire un effort pour se souvenir de quelque chose. J'ai voulu lui demander à quoi il pensait, mais il ne m'aurait pas entendu et ma question serait restée coincée en vol, aussi inutile qu'une cible de ball-trap sans personne pour tenir le fusil.

Nous avons roulé toute la matinée, à raison d'une dizaine de kilomètres entre les points de livraison : moi au volant, Ali le regard dans le lointain, le ronronnement du diesel comme une banquette épaisse et confortable entre nous. Ali tirait de longues bouffées sur sa clope, jetait le mégot par la fenêtre et sortait aussitôt une autre cigarette de sa poche. À chaque fois, sans quitter l'horizon des yeux, il disait : « Ça ne te dérange pas, au moins. » Il ne répétait pas cette phrase pour me demander mon avis, mais plutôt pour me convaincre que ça m'était égal. Il avait peut-être raison. Je n'ai rien répondu, parce que c'était la seule chose à faire, et Ali ne m'a pas dit s'il parlait de la fumée ou de l'air froid que sa vitre baissée laissait s'engouffrer entre nous.

Il s'est mis à pleuvoir un peu avant midi, une pluie froide et grise, alors que nous venions de livrer une débroussailleuse dans un hameau au milieu des champs en friche. Un sécateur aux lames écartées rouillait sur la terre humide, comme s'il avait oublié à quoi il servait. Le client est sorti de son pavillon Bouygues et a marché vers nous avec deux billets de cinq euros entre le pouce et l'index. C'était un vrai Normand, un de ces agriculteurs qui regardent trop la télévision et à qui la vie d'intérieur n'a pas rendu service. Je l'ai remercié et je suis remonté dans la camionnette, l'odeur de Stéphanie plus forte dans mes narines que celle de l'herbe mouillée, et l'image du creux entre ses seins plus vive que la campagne pluvieuse.

Au moment où je mettais le contact, Ali a rendu son billet à l'agriculteur sans rien dire. L'homme est resté immobile, une expression stupide dans les yeux, le temps qu'Ali me rejoigne dans la camionnette. Ali a remonté sa vitre et m'a dit de démarrer. Le bruit du moteur a couvert les insultes qui nous ont accompagnés jusque sur la route, et j'ai pensé au berger allemand des Bianconi. Ali a allumé une cigarette en cherchant une fréquence à la radio. Il a fait défiler la bande FM dans les deux sens, sans s'arrêter, puis il a éteint. Je n'ai rien dit de tout le trajet. Je me suis concentré sur la route et les voitures devant moi. La chose était là, pourtant, collante comme du chewing-gum, grossie par les gouttes de pluie qui s'agglutinaient autour d'elle : la glaire que cet homme avait crachée sur la vitre d'Ali, juste à hauteur de ses yeux, et dont la forme avait la laideur des choses sans mystère. Plus tard, en nettoyant la vitre sur le parking de l'entrepôt, j'ai pensé qu'on était des hommes. Il y avait dans cette évidence comme l'ombre d'un très grand malheur.

Après la pause déjeuner, j'ai fumé un joint derrière le bâtiment avec Greg et Sidibé. La pluie s'était un peu calmée, mais pour ne pas attraper froid nous nous sommes abrités sous un auvent, dans l'axe d'une caméra de sécurité. Le ciel était si blanc qu'on ne distinguait pas la forme des nuages. « La pluie ne durera pas, a dit Greg. Il va neiger cette nuit. » Puis il a ajouté, en remarquant le visage inquiet de Sidibé : « Calme-toi, vieux, elles sont là juste pour faire joli. » J'ai jeté un coup d'œil à l'arrière de la caméra ; elle n'était pas câblée. « Tu dis ça parce que tu as des papiers », a répondu Sidibé, et il est reparti sous la pluie.

« Trop aux aguets, a dit Greg en le regardant s'éloigner. Ces gars-là sont toujours les premiers à se faire choper. » Je lui ai demandé depuis combien de temps il travaillait dans la société. Il m'a passé le joint : « Depuis assez longtemps pour bien m'y connaître en matière de clandestins. » Il est parti à son tour. Sans se retourner, la tête rentrée dans les épaules pour se protéger des gouttes, il a dit : « Tu devrais dormir plus, vieux. Je trouve que tu es tout blanc ces derniers temps. »

J'ai continué à tirer sur le joint en regardant la pluie tomber. J'avais envie de dormir et je me sentais découragé, comme souvent au début de l'après-midi. Mon téléphone a vibré ; c'était un message de Maman. Elle avait acheté un poulet rôti pour le dîner, et elle me rappelait l'adresse du garage. Il y aurait des restes dans le frigo si je rentrais trop tard. Je lui ai répondu de ne pas m'attendre, puis j'ai pensé qu'en quittant le travail à 18 heures j'aurais le temps de passer chercher la voiture et de trouver une place dans un des parkings publics du centre-ville. J'arriverais au café avant Stéphanie et je m'installerais en terrasse, à côté d'un poêle, pour qu'elle s'asseye près de moi. Je dirais au serveur que j'attendais mon amie pour commander. Stéphanie devait aimer la bière, ou elle prendrait un verre de vin. Avec les pourboires du matin, j'avais de quoi voir venir, peut-être même assez pour aller au cinéma. J'étais sûr que Stéphanie aimait la bière brune et les films américains.

En l'imaginant dans le noir, son visage rond éclairé par la lumière de l'écran, je me suis aperçu que j'avais oublié le nom du café. Ce nom m'avait semblé si évident quand Stéphanie me l'avait dit dans le bus que je n'avais pas pris soin de le noter. Là, j'avais beau fouiller ma mémoire, il était aussi introuvable que si elle ne m'avait jamais invité. Je n'avais pas son numéro. Je savais où elle travaillait, mais l'idée de faire irruption là-bas et de la déranger devant ses collègues me mettait mal à l'aise. Il ne me restait plus qu'à arriver assez en avance pour remonter la grande rue à la recherche de la bonne enseigne, comme une clé ouvrant la porte d'un bonheur bien gardé.

J'ai passé l'après-midi à l'entrepôt. Une cargaison importante était arrivée d'Allemagne, et on nous a désignés, Greg et moi, pour faire l'inventaire. Greg avait envie de discuter, mais je n'étais pas d'humeur. Il n'a pas insisté et a enfilé ses écouteurs pour travailler de son côté. À partir de ce moment, on n'a plus entendu que le bip régulier de nos lecteurs sur les code-barres et le tintement de la pluie sur la tôle du hangar. Je me suis senti plus calme, moins fatigué. Depuis que je travaille dans la société, j'ai toujours aimé la répétition de ces gestes, le rythme qu'ils donnent au passage des heures. En général, les autres préfèrent les livraisons. On sort, on voit du pays et du monde, on ne s'ennuie pas. Moi, je n'ai rien contre l'ennui ni contre la solitude. Je me dis que ce n'est pas grand-chose de rentrer ces codes. Mais je le fais bien, j'en tire une sorte de fierté. C'est une idée agréable de penser qu'on sera content de moi.

Un peu plus tard Greg m'a tapé sur l'épaule et m'a demandé si je voulais aller fumer dehors, histoire de finir l'herbe. Je lui ai dit qu'on était sortis avec Sidibé voilà une heure à peine : « Ça peut attendre, on fera une pause à quatre heures. » Je me suis remis à enregistrer mes code-barres. Greg m'a fixé un moment en silence, puis il a éclaté de rire. Je me suis retourné et je l'ai regardé longtemps à mon tour. En voyant sa bouche se tordre et ses pommettes se plisser, j'ai eu très envie de le frapper. Il y avait quelque chose d'écœurant dans ce rire, comme la chair flasque des obèses le samedi après-midi au centre commercial, ou le crachat sur la vitre d'Ali.

Le visage de Greg a fini par reprendre une expression normale. « Toi, vieux, on peut dire que t'es un cas à part. Il fait nuit depuis des lustres. Les bureaux sont fermés et toi et moi on est comme qui dirait les cons qui restent. » J'ai regardé l'écran de mon téléphone ; il était sept heures moins vingt.

Je suis arrivé sur la grande rue une demi-heure plus tard, en nage. Mon blouson aussi était trempé par la pluie. J'ai couru en direction de la zone piétonne, en regardant à la fois les néons et les clients assis derrière les vitres, au cas où le nom ne me reviendrait pas. Il y avait beaucoup de circulation, mais peu de monde à l'intérieur des cafés. En bas de la rue, j'ai hésité à prendre l'une des rues piétonnes, mais j'ai rebroussé chemin. J'étais sûr que le café se trouvait là, et cette certitude m'a fait mal au ventre.

Je n'osais plus regarder l'heure. J'ai fermé les yeux pour m'essuyer les paupières et, en les rouvrant, j'ai vu les lettres bleu foncé qui flottaient dans la nuit : LE GIBRALTAR. Il n'y avait personne au comptoir. Dans la salle, un serveur m'a demandé si je voulais commander quelque chose. Je lui ai dit que je cherchais quelqu'un. J'ai ouvert grand mes poumons en pensant à l'odeur d'été et de plage dans les cheveux de Stéphanie, mais cet endroit ne sentait que la cuisine réchauffée et les produits de nettoyage. À l'horloge de mon téléphone, il était 19 h 34.

Je n'ai pas entendu les deux coups sur la vitre épaisse du café. « C'est cette jeune fille que vous cherchez ? » m'a demandé le serveur. Stéphanie était là, juste un visage sorti de la nuit, les cheveux à l'abri sous une large capuche. Elle me regardait en souriant. En essayant de sourire moi aussi, je ne sais pas pourquoi j'ai pris peur tout à coup et je me suis dit que j'aurais été plus à ma place dans le bus pour rentrer à la maison, loin des idées insensées que cette fille faisait naître en moi.

Nous ne sommes pas restés longtemps au café. Stéphanie a demandé un Coca, en disant au serveur de l'apporter vite et sans glaçons. Elle avait quelque chose à me montrer. De nouveau, j'ai eu très envie d'elle. « Et toi, tu ne prends rien ? » Je ne savais pas quoi commander et j'avais peur qu'elle me trouve ridicule. Quand le serveur est revenu, elle a dit qu'on pouvait partager son verre. Je ne voulais pas qu'elle croie que je n'avais pas assez d'argent pour me commander quelque chose, alors j'ai posé sur la table le billet de cinq euros que l'agriculteur m'avait donné. Elle a mis sa main sur la mienne : « Tu n'es pas obligé. » Je me suis senti heureux et j'ai dit que ça me faisait plaisir. Elle a hoché la tête en répétant que ce n'était pas nécessaire, mais qu'elle me trouvait gentil.

Ses cheveux attachés en chignon laissaient voir ses tempes. Je voulais la caresser juste à cet endroit, respirer l'odeur de sa peau et du shampoing. J'ai remarqué qu'elle ne portait pas de boucles d'oreilles. Elle a fini son Coca et reposé son verre d'un geste ordinaire ; c'était un moment normal dans un café normal. Puis elle a approché son visage en fermant les yeux et elle m'a embrassé. Tout a explosé dans ma tête. Sa bouche était fraîche et sucrée, sa peau douce comme l'eau d'une rivière. C'était ça, le bonheur.

Comme si de rien n'était, Stéphanie s'est laissée tomber contre le dossier de sa chaise. Un grand sourire éclairait son visage. Elle m'a demandé depuis quand j'avais un diamant : « Ça va bien avec tes cheveux blonds et le bleu de tes yeux. » Je n'avais pas envie de parler. La tendresse de ses lèvres m'était descendue dans le cœur. « Tu as de la chance que tes parents t'aient laissé faire. Vous devez bien vous entendre. » J'ai dit au serveur de garder la monnaie. Quand Stéphanie s'est levée pour remettre son manteau, je me suis aperçu qu'elle portait le même pull que dans le bus, mais dans une autre couleur. Elle avait dû se changer au travail.

La nuit était froide et humide. Stéphanie a avalé un grand bol d'air et m'a pris la main : « Tu viens, alors ? » J'ai fait oui de la tête, mais elle n'a pas dit où nous allions. J'étais bien. Quelques instants plus tard, des amis à elle sont passés nous prendre dans une voiture trop neuve pour cette ville, deux garçons un peu plus âgés que moi. J'ai reconnu le fils Bianconi au volant. Stéphanie s'est installée sur le siège passager, et je me suis assis à l'arrière, triste de ne plus l'avoir à côté de moi. Plus que triste : souffrant, comme si on me l'avait arrachée. J'ai eu mal au ventre. Le goût de son baiser était encore frais, mais le contact de sa peau me manquait déjà.

Une odeur de joint imprégnait la banquette. « Ticket d'entrée », a dit l'autre garçon en me mettant quelque chose de rêche dans la main. Je me suis approché de la fenêtre pour regarder : c'était une cagoule noire dont on avait recousu grossièrement les ouvertures pour les yeux, au fil blanc. L'effet était à la fois grotesque et sinistre. J'ai regardé Stéphanie, mais il faisait sombre et elle avait la tête tournée. Le fils Bianconi m'a dévisagé dans le rétroviseur : « Personne ne te force. » J'ai enfilé la cagoule et il a appuyé sur l'accélérateur.

Six ou sept minutes avaient dû s'écouler, les bruits du trafic s'étaient éteints derrière nous. On n'entendait plus que les tours du V8 allemand. En m'appuyant contre la fenêtre, j'ai senti qu'il faisait un peu plus froid dehors. Personne ne parlait. Nous avons fait encore quelques kilomètres en légère montée avant de ralentir, puis nous avons tourné un long moment, de grandes boucles géométriques, comme si nous roulions à présent sur un circuit. « Tout le monde descend », a ordonné le fils Bianconi en coupant le moteur. L'autre m'a enlevé la cagoule et je l'ai suivi. Peut-être parce que mes yeux étaient déjà acclimatés à l'obscurité, j'ai reconnu tout de suite l'endroit.

« Regarde » : Stéphanie me montrait la silhouette de la tour de contrôle, et plus loin les buttes sous lesquelles dormaient les bunkers désaffectés. Son souffle apparaissait et disparaissait, comme une marée dans la nuit. J'ai dit que je ne comprenais pas pourquoi ils m'avaient caché le chemin de l'ancienne base aérienne. Stéphanie s'est approchée et m'a serré la main très fort : « Pour te faire peur. » Je me suis retourné et j'ai vu le fils Bianconi et son copain rentrer dans un hangar en bordure du tarmac. Mes brûlures à l'estomac s'étaient un peu calmées.

J'ai remonté la fermeture Éclair de mon blouson jusque sous le menton, et j'ai dit à Stéphanie que je n'avais pas peur. Il y avait de la nervosité dans son regard, une forme d'impatience, mais aussi quelque chose qu'elle cherchait à me dissimuler. J'ai deviné qu'elle avait peur pour moi, et ce sentiment m'a rempli de bonheur, comme son baiser. J'étais impatient d'en finir avec le fils Bianconi pour embrasser encore Stéphanie.

Les deux garçons sont revenus en poussant une moto, une moyenne cylindrée dont le phare était allumé. J'ai vu que la mécanique avait été trafiquée, et j'ai pensé à tous ces après-midi que le fils Bianconi passait dans le garage à l'arrière de sa maison, occupé à débrider un moteur ou à réparer une transmission. Il avait une odeur d'huile sur lui et des taches noires sur son pantalon : « Tu sais comment ça marche ? » J'ai répondu que je me débrouillais. Je savais ce qui allait arriver maintenant, et j'étais certain de ne pas avoir peur. Je me sentais prêt.

Devant nous, au-delà du spectre des phares, la vieille piste d'atterrissage s'enfonçait dans une nuit compacte. « Aller-retour », a dit le fils Bianconi en se tournant vers Stéphanie. « Je n'ai pas besoin de t'expliquer pourquoi on est ici. » J'ai hoché la tête, un peu trop vite. Je ne voulais pas que Stéphanie croie que j'étais un lâche, mais je ne voulais pas non plus donner l'impression d'obéir, de me plier aux caprices d'un inconnu qui la voyait comme un trophée. L'idée de dire que tout cela était ridicule ne m'a même pas traversé l'esprit.

« Pile ou face ? »

Face, comme d'habitude, parce que mon père m'avait dit un jour que les probabilités étaient de ce côté. La pièce est retombée sur pile. Le fils Bianconi a enfourché la moto et il a démarré au kick, puis son copain s'est approché avec un casque. Le fils Bianconi l'a jeté à terre en disant qu'il n'avait pas besoin de ça ; je l'ai trouvé nerveux lui aussi malgré son air dur. L'autre a sorti son téléphone et a activé le chronomètre. Le pot d'échappement a craché une épaisse fumée. La moto est partie comme un missile dans le noir.

En faisant quelques pas dans la lumière des phares, j'ai vu que la piste était truffée de nids-de-poule et de plaques de verglas à moitié fondu. J'ai levé les yeux : le feu arrière de la moto n'était plus qu'un point rouge au loin. La nuit était immobile et sans étoiles, et à part les rares voitures sur la nationale voisine il n'y avait aucune lumière alentour. Je me suis senti seul. J'ai entendu les vitesses rétrograder en double débrayage et c'est là que le sentiment d'avoir déjà perdu Stéphanie, de n'être rien pour elle, a commencé à faire son chemin en moi.

« Il n'a jamais été aussi vite ! » Le copain du fils Bianconi a prononcé ces mots comme s'il m'annonçait un heureux événement. J'ai voulu me tourner vers Stéphanie, lui montrer qu'elle pouvait encore compter sur moi, mais je ne pouvais plus détacher mon regard du phare blanc de la moto qui fonçait dans notre direction comme un soleil à la dérive. Une tristesse éblouissante est tombée sur moi. Qu'est-ce que je m'étais raconté ? Dans une seconde ce serait mon tour, et je n'avais plus qu'à jouer mon rôle de tocard dans ce jeu destiné à me faire perdre la face.

La moto devait être à cent mètres tout au plus. Quelque chose a bougé dans l'obscurité, un lapin ou un oiseau. Le phare blanc a dévié légèrement de son axe. Il y a eu un bruit sec dans le fracas du moteur, et la moto s'est couchée sur la piste, elle a glissé en douceur sur une cinquantaine de mètres avant de terminer sa course dans l'herbe gelée.

Je me suis approché. Le fils Bianconi était couché sur le côté, comme s'il dormait. Quelque chose de noir et d'épais s'écoulait de son oreille. J'ai eu la sensation que l'air s'était figé. C'est là que la neige s'est mise à tomber, juste comme Greg l'avait prédit.

En voyant la roue avant de la moto qui continuait à tourner dans le vide, je ne me suis pas dit que Stéphanie était à moi. Pour la première fois depuis l'après-midi, j'ai pensé à la voiture de Nono que j'avais oubliée au garage, et j'ai su que mes ennuis venaient de commencer.

2

La police est venue le matin. C'est Maman qui a ouvert la porte. Comme j'étais déjà parti au travail, deux agents sont arrivés à l'entrepôt vers neuf heures. Ils ont dit au patron qu'ils avaient besoin de me poser des questions au sujet de l'accident du fils Bianconi et que ça ne serait pas long. Je n'ai pas eu le temps de prendre mon blouson. Au commissariat, on m'a demandé de confirmer ce que l'autre garçon avait raconté quand les premiers secours étaient arrivés. Tout était vrai : la voiture allemande, la base aérienne, la course à moto. Je n'ai pas parlé de la cagoule, parce que je me suis dit qu'on ne me croirait pas. Le copain du fils Bianconi avait eu tout le temps de s'en débarrasser. Les deux flics ne me prendraient pas au sérieux et ils penseraient que je voulais passer pour la victime.

Après la vérification des témoignages, ils m'ont demandé pourquoi j'avais quitté la base après l'accident, au lieu d'aider le blessé et d'attendre l'ambulance. Je ne savais pas. Ils s'étaient montrés plutôt indifférents à mes réponses jusque-là, mais le fait que je sois rentré en stop sur la nationale a eu l'air de les intéresser. Ils ont voulu savoir si le conducteur m'avait dit son nom et si je me rappelais la marque de sa voiture. Nous n'avions presque pas parlé : il m'avait déposé au rond-point près de la maison, puis il était reparti. Je savais seulement que c'était un représentant commercial en route pour Rouen.

Le plus grand des deux flics a fait signe à son collègue et lui a chuchoté quelque chose à l'oreille. Il faisait très froid dans la pièce. Je commençais à me sentir un peu enrhumé, alors je me suis frotté les bras pour me réchauffer. L'autre flic, un brun trapu, m'a demandé si j'avais quelque chose à me reprocher, et si je traînais avec la bande de jeunes qui organisait des rodéos autour de la cité. Moi, je n'avais fait que suivre le fils Bianconi et exécuter ses instructions. Le flic s'est levé de table en criant : « Et si je te dis de sauter par la fenêtre, tu vas les exécuter aussi, mes instructions ? » La pièce était complètement aveugle, mais je n'ai pas fait de commentaire. L'autre lui a dit de se calmer et m'a demandé si je savais que le fils Bianconi était impliqué dans un trafic de drogue entre Le Havre et la banlieue nord de Paris.

Je n'étais pas au courant. Le petit brun s'est rassis et m'a dévisagé un long moment en silence : « Si j'étais toi, je me ferais discret dans les jours qui viennent. » Je lui ai demandé pourquoi. C'est l'autre qui m'a répondu que le fils Bianconi avait un certain « entourage ». Le mot m'a fait penser à Stéphanie, et je me suis rendu compte qu'ils ne m'avaient pas encore parlé d'elle. Ils ont froncé les sourcils quand j'ai voulu savoir où elle était. « C'est qui, cette fille ? » a dit le plus grand. Pour qu'ils ne lui fassent pas d'ennuis, j'ai répondu que c'était une amie à moi qui devait passer me chercher au commissariat, et ils m'ont laissé partir.

J'ai rallumé mon téléphone en sortant. Au-dessus des toits, le ciel était aussi blanc que la veille. J'ai été surpris d'entendre la voix de mon patron sur la messagerie. Comme d'habitude, il parlait avec beaucoup de précautions, en reprenant sans cesse ses phrases. Ce n'était pas la peine que je repasse à l'entrepôt. Je pouvais prendre ma journée, même le reste de la semaine si j'avais besoin de repos. On aviserait en temps et en heure pour la suite. Moi, j'étais bien ennuyé à l'idée de passer plusieurs jours dans ce froid sans mon blouson. Il n'y avait pas d'autre message ni d'appel en absence.

J'étais un peu déçu que Stéphanie n'ait pas cherché à me joindre, mais je ne savais pas si elle avait mon numéro de téléphone. Dans le doute, en repensant aux paroles du petit brun, il m'a semblé que je comprenais son silence. Peut-être qu'il valait mieux se faire oublier le temps que les choses se tassent. Peut-être aussi que nos lignes étaient surveillées, et que c'est pour ça qu'elle ne me donnait pas de nouvelles. On ne savait jamais avec les flics. S'ils ne m'avaient pas posé de questions sur elle, il devait bien y avoir une raison.

Je me suis demandé si elle était allée travailler aujourd'hui et pourquoi elle ne m'avait pas attendu, hier soir, juste après l'accident. Tout s'était passé très vite. J'avais regardé derrière moi, et Stéphanie n'était plus là. Il y avait la voiture dont les pleins phares éclairaient la piste et la neige qui tombait, le copain du fils Bianconi qui ne bougeait pas, et la nuit qui s'était refermée tout autour de nous. Maintenant que j'y pensais, je n'étais même pas sûr que Stéphanie ait été encore là au moment où la moto avait dérapé dans l'herbe. Le dernier souvenir que j'avais d'elle remontait à avant le départ. Ça, et la douceur de sa bouche.

Un vent glacé descendait du plateau. J'ai marché dans le froid, courant quand je commençais à frissonner, et j'ai fini par arriver au garage. Un des employés m'a dit que Nono était déjà passé chercher la voiture, il y avait une heure à peine. Les pneus avaient été gonflés, mais Nono avait demandé qu'on les regonfle, parce qu'ils lui semblaient mous. L'employé avait eu beau trouver ça bizarre, il n'avait pas discuté. On le payait pour satisfaire le client. « Drôle de bonhomme, a-t-il remarqué en préparant une Peugeot noire pour sa vidange. En même temps, je peux parler, moi, avec le père que j'ai. » J'ai dit que Nono n'était pas mon père et qu'il n'avait rien de drôle.

L'employé a ri comme si je plaisantais, et il a commencé à drainer l'huile du moteur.

Quand je suis arrivé à la maison, j'ai remarqué tout de suite que le berger allemand n'aboyait pas derrière la haie. J'ai écouté le silence en regardant la blancheur du ciel. La voiture de Nono était garée à mi-descente, devant la porte du garage. J'avais sommeil. J'ai écouté encore un peu le silence, puis je suis rentré sans faire de bruit. Il faisait si bon dans ma chambre que je me suis allongé pieds nus sur le lit.

Maman est venue me chercher pour dîner. Elle a posé la main sur mon front et m'a dit que j'avais dormi trois heures. Il y avait une odeur de pommes rissolées dans la maison. Je me sentais bien et j'avais très faim, très soif aussi. Nono était assis sur sa chaise au bout de la table. Il m'a regardé comme si j'étais de la poussière, une tache de vin sur la nappe, et nous nous sommes mis à manger en silence. Personne n'a rien dit jusqu'à ce que le téléphone sonne. Maman est allée répondre, et j'ai remarqué qu'elle n'avait pas touché à son assiette. Quand elle est revenue, elle a bu un verre d'eau, et elle a dit que c'était la police qui venait d'appeler. Le fils Bianconi était mort une heure plus tôt d'un œdème au cerveau.

Nono a regardé longtemps devant lui, les yeux dans le vide, comme s'il n'avait pas entendu. Maman a repris : « Ils disent qu'il ne vaut mieux pas que tu sortes. Au cas où. Demain matin je m'habillerai en noir et j'irai présenter mes condoléances aux Bianconi. Ils comprendront. Ils savent qui était leur fils. On fera porter des fleurs pour l'enterrement. »

Comme j'avais encore un peu faim, je me suis resservi des pommes de terre. Personne ne les faisait mieux que Maman. Qu'est-ce qui se serait passé si les rôles avaient été inversés, si c'était moi qui avais eu l'accident de moto ? Est-ce que Maman aurait compris ? Est-ce qu'elle aurait pensé que j'étais un idiot et un vaurien ? Ça, c'était quand même beaucoup demander à une mère. J'ai fini mon assiette et je me suis levé pour la rincer.

« Ça n'est pas une façon de faire », a crié Nono en retirant le cran de sa ceinture. Maman a voulu le calmer : « La police a dit qu'il n'y est pour rien. » Elle s'est tournée vers moi : « Dis-lui, toi, que tu n'auras plus de mauvaises fréquentations. » J'ai regardé Nono et j'ai confirmé les paroles de Maman. « Je ne veux pas le savoir, ça n'est pas une façon de faire », a-t-il répondu. D'un signe de la tête, il m'a montré la porte de la cave. « Descends. » Sa grosse main de maçon tenait la ceinture par le bout en cuir, j'ai eu envie de vomir en pensant à la pointe de la boucle en métal sur mon dos.

J'ai pensé très fort à Stéphanie et à son baiser en descendant l'escalier. Je me suis promis de bien protéger mes oreilles, de rentrer la tête, les coudes, et de garder mes jambes contre mon ventre une fois que je serais à terre. Il suffisait de compter jusqu'à vingt. Après, ce serait fini.

Nono a dit « À genoux », et ça a commencé. La ceinture a fendu l'air, puis a fait un bruit sourd en heurtant ma colonne vertébrale. J'ai senti que j'allais avoir moins mal que d'habitude. Ce n'était pas que Nono tapait moins fort, plutôt comme si ma peau était devenue plus épaisse, mes os plus solides, et que Nono ne pouvait plus m'atteindre avec toute la force du monde. J'étais incassable. J'ai souri et je me suis dit que la mort du fils Bianconi n'avait aucune importance. Je voulais bien tout aimer de ce monde, la douleur, le sang qui cognait dans ma tête, le froid du ciment sur mes bras, le tranchant de la boucle sur mon dos, pourvu que Stéphanie veuille de moi. Même Nono : je voulais bien l'aimer lui aussi pour le mal qu'il ne pouvait plus me faire.

J'ai dû sourire encore, parce que Nono a arrêté de frapper. Il reprenait son souffle. « Petit merdeux, a-t-il articulé entre ses dents. Quand je pense à tout ce que ta mère fait pour toi. Tu n'es qu'un parasite, comme ton crevard de père. »

Je savais que ce n'était pas une bonne idée de répondre, mais j'ai dû continuer à sourire. Nono a lâché la ceinture et s'est dirigé vers l'escalier. J'étais en train de me relever quand j'ai senti sa main énorme et sèche agripper mon oreille. « Je vais t'apprendre un peu la vie. Tu ne veux pas écouter ? À quoi ça sert, une oreille, si on n'écoute pas ? » Il me soufflait son haleine de gros rouge dans les yeux, je voyais ses lèvres qui tremblaient. J'ai eu très mal et je crois que je me suis évanoui.

J'ai rêvé que Nono m'arrachait mon diamant. Je me vidais de mon sang par le cou, comme un poulet, je tombais sans m'arrêter à travers des paysages que je n'avais jamais vus, j'apercevais une silhouette à la lisière d'un bois, puis je tombais encore. Je me suis réveillé une première fois, mais c'était dans mon rêve. J'ai rêvé encore, de sable et de poussière, de la pierre brûlante du désert. Le danger et l'aventure étaient partout; je me sentais vivant, parce que j'avais oublié d'où je venais, et je vivais comme un roi. J'étais le maître de mes jours.

Nono n'était plus là quand je me suis réveillé pour de bon. La douleur me transperçait le crâne comme une lame chauffée à blanc, et pourtant je restais calme, gonflé par quelque chose de fort, de résolu. J'ai voulu toucher le lobe de mon oreille gauche, mais une décharge venue de très loin dans mes nerfs a arrêté ma main. Je n'ai pas compris tout de suite. C'est en me redressant que j'ai vu le sang par terre. Rouge foncé, presque noir, comme celui du fils Bianconi. J'ai repensé à la nuit froide, au verglas qui luisait sur la piste d'atterrissage. Le sang est le même pour tous les hommes.

Je me suis mis debout en m'appuyant sur la machine à laver. Je n'ai pas regardé dans le miroir que Nono avait accroché au mur, il y a quelques années, pour que Maman puisse faire sa gymnastique. Pas besoin de voir, tout était là, lisible dans le silence et l'immobilité de la cave. Nono était parti avec ce qu'il m'avait pris. Quelle heure il pouvait être? La tête me tournait. Mon épaule était tachée de sang et mon cœur battait trop vite. De grosses gouttes tombaient de mon oreille. J'avais peur de m'évanouir encore, parce que je ne voulais pas que Nono me trouve là, comme un paquet de linge dégoulinant sur son beau ciment.

Je suis sorti par le garage et le vent glacé m'a fait du bien. Là-haut sur le plateau, l'œil rouge des éoliennes clignotait dans la nuit. C'étaient peut-être leurs signaux monotones, le calme qu'ils faisaient planer au-dessus de la ville : j'ai pensé à Ali, le vieux Tunisien. Je me suis rappelé l'odeur de ses cigarettes dans la camionnette.

On racontait à l'entrepôt qu'avant de venir en France, Ali avait été un entraîneur de boxe renommé dans son pays. Greg avait entendu dire qu'Ali n'avait pas son pareil pour nettoyer et recoudre les blessures les plus sales. J'ai attendu d'avoir les idées bien nettes, et je suis rentré sans faire de bruit. J'ai été soulagé de ne pas trouver Maman dans la cuisine. En passant devant sa chambre, j'ai entendu un bruit rauque, et j'ai compris que c'était Nono qui sanglotait. J'ai ramassé quelques affaires dans mon sac, tout l'argent que j'ai pu trouver, puis je suis ressorti.

Je suis arrivé devant l'immeuble d'Ali trois quarts d'heure plus tard. À la Madeleine, la nuit comme le jour, il faut entrer vite et en rasant les murs si on n'est pas du quartier. De peur que quelqu'un de la bande du fils Bianconi me reconnaisse, je me suis dépêché de traverser la dalle entre les bourrasques. Il faisait encore plus froid ici qu'en ville.

Ali m'a ouvert, il était seul chez lui. Je n'ai pas eu besoin de lui expliquer. Il m'a dit qu'on allait découper le col de mon pull et de mon T-shirt pour les enlever, puis il m'a fait m'asseoir sur le rebord de la baignoire. Il a inspecté la blessure sans y toucher, avec le même air pensif que dans la camionnette, et il a fini par dire : « Je vais revenir. » Ali parlait toujours comme ça. Quand on était en retard pour une livraison, il ne disait jamais « On arrive », mais « On va arriver ». C'était astucieux de laisser planer un doute : le client avait plus de mal à se plaindre si l'horaire n'était pas respecté. Il s'estimait heureux que la livraison soit là. C'était un peu bizarre au début, mais je m'étais habitué.

J'ai dû rester une vingtaine de minutes seul dans la salle de bains, une toute petite pièce de cinq ou six mètres carrés. Le carrelage aux murs était très propre, aussi blanc que le ciel d'hiver. Toute cette blancheur dans l'attente avait quelque chose d'étourdissant. J'avais sommeil, mais c'était peut-être aussi à cause des radiations du chauffage central. Une goutte de sang est tombée sur l'émail de la baignoire. Je l'ai essuyée avec du papier toilette, et je me suis dit en regardant les affaires sur le lavabo qu'Ali devait avoir une vie très solitaire et très ordonnée.

Ali est revenu avec des vêtements propres, un flacon de désinfectant, une aiguille et du fil en nylon. Il a dit que j'allais avoir très mal au moment où il appliquerait le désinfectant sur la plaie. C'était indispensable de bien nettoyer avant de recoudre, mais il n'avait rien à me faire boire pour endormir la douleur. Ça ne faisait rien : j'étais prêt. Il m'a tapé sur l'épaule : « Tu prendras un comprimé après. Tout sauf de l'aspirine. »

La salle de bains s'est remplie d'une odeur d'alcool. Ali a allumé son briquet et il a laissé l'aiguille dans la flamme jusqu'à ce qu'elle rougisse. J'ai mémorisé le blanc du carreau juste sous l'interrupteur, puis j'ai fermé les yeux en me mordant les lèvres. La compresse sur la plaie à vif m'a fait encore plus mal que la main de Nono. J'ai senti que j'allais pleurer, alors j'ai respiré à fond pour me détendre. « Ne bouge pas. Je vais vite finir. » L'aiguille est rentrée sous la peau et le fil s'est tendu en cherchant son chemin. La main d'Ali ne tremblait pas. Je me suis habitué à la douleur, ou bien c'est la douleur qui s'est un peu calmée.

En rouvrant les yeux, j'ai vu que le front d'Ali était en sueur. Il a rembobiné le fil, jeté l'aiguille et la compresse. « Tu peux prendre une douche et mettre ces habits. Je vais fumer. » La fenêtre était ouverte et il faisait froid quand je l'ai rejoint dans le salon. Ali se tenait debout dans le courant d'air, le dos bien droit. Il regardait par la fenêtre, au loin, comme dans la camionnette. Je me suis approché et j'ai été surpris par la vue. Le regard pouvait courir jusqu'à l'horizon, là où la ligne sombre du plateau rejoignait la nuit. « C'est le onzième étage. C'est un bon appartement, ici. Si je plisse les yeux et que tout devient vague, parfois j'arrive à voir jusqu'à chez moi. »

Nous sommes restés comme ça un moment, à contempler Dieu sait quels regrets dans la nuit immobile. En présence d'Ali, le silence ressemblait à quelque chose d'ordinaire. C'est l'idée de dire quelque chose qui devenait une anomalie. Moi, je me sentais calme, tranquille. Mon oreille continuait à me lancer par vagues, mais elles n'avaient plus la même force que dans la cave.

« Tu veux du Doliprane ? a proposé Ali en fermant la fenêtre. La boîte doit être périmée, mais ça n'a pas importance. » J'ai répondu que ça allait mieux et qu'on verrait plus tard. « Est-ce que tu as l'intention de porter plainte ? À ta place, je ne le ferais pas. » Je n'y avais pas encore réfléchi. Mais quand même, j'ai trouvé ça étrange. « Il n'y a pas de justice ici, a continué Ali. Là où il n'y a pas de justice, il n'y a pas de vie possible. » Je ne comprenais pas. « Celui qui t'a fait ça ne restera pas longtemps en prison, si jamais il est condamné. Tu veux attendre qu'il sorte pour voir si la prison a fait de lui un homme meilleur ? »

J'ai pensé au fils Bianconi à la morgue de l'hôpital et à ceux de sa bande qui devaient déjà être en train de me chercher. L'idée que l'un d'entre eux vivait peut-être dans cette tour m'a fait mal à l'estomac. Ici ou là, ils ne mettraient pas longtemps à me retrouver, et je savais qu'ils me feraient la peau. Les coups de sang de Nono n'étaient rien à côté de ce que ces types-là étaient capables de me faire.

Ali m'a regardé dans les yeux et il a repris : « Il n'y a pas qu'une seule vie. Il y a d'autres pays, et d'autres voies. » C'était la première fois que je voyais son regard en face. « Mais tout le monde n'est pas fait pour vivre libre. Regarde-moi : on s'habitue à vivre mal. » Je lui ai dit qu'il pouvait changer de travail s'il n'aimait pas l'entrepôt. « Ce n'est pas le travail, fils. Le travail, c'est le travail, n'importe où. C'est l'impossibilité d'être un homme. De se lever sans peur, de vivre sans regret, de se coucher sans honte. Les gens comme nous n'ont pas le droit de vivre comme des hommes. »

J'ai baissé les yeux. À mon avis, il se trompait. J'ai dit : « Je ne sais pas si je suis libre, mais je sais que je suis un homme. » Je l'ai regardé à nouveau. Il me souriait, avec une sorte de douceur dans les yeux. « Tu t'y connais un peu avec ça ? » a-t-il demandé en me montrant l'ordinateur portable qui était ouvert sur la table.

J'ai répondu que je me débrouillais. « Vois si tu peux faire quelque chose. Je vais préparer le thé. » Le portable avait un problème de mémoire qui ralentissait sa mise en route. J'ai nettoyé le disque dur, rangé les fichiers sur le bureau, et relancé le système.

« Tu pourrais gagner beaucoup plus dans l'informatique », a-t-il suggéré en jetant un coup d'œil à l'écran par-dessus mon épaule. Mais je n'avais pas de diplôme : «Je bricole, je connais deux ou trois trucs. C'est simple comme bonjour. » Greg m'avait appris à démonter et remonter les machines, plus quelques rudiments de programmation. Il arrondissait ses fins de mois avec des importations tombées du camion.

Ali a posé les tasses de thé sur la table, rouvert la fenêtre et allumé une cigarette. De nouveau il se tenait dans le courant d'air, le dos toujours aussi droit. «Je connais quelqu'un si ça t'intéresse. » Je voyais la fumée de sa cigarette filer à toute allure dans le vent de la nuit, et j'imaginais son regard perdu tout là-bas, quelque part entre le plateau sombre et la steppe lumineuse de sa jeunesse. « Un type bien. Il faudrait que tu le rencontres. Je crois que vous pourriez vous entendre. »

C'était tentant, parce que le patron allait sûrement me renvoyer à cause de ce qui s'était passé. J'ai attendu qu'Ali me demande pourquoi la police était venue me chercher à l'entrepôt. Mais il a continué à fumer sa cigarette sans rien dire, comme s'il avait oublié ma présence. « Oui, je crois que vous pourriez vous entendre. »

Il est parti en sirotant son thé et est revenu avec une couverture qu'il a posée sur le canapé.

« Tu peux rester ici le temps que tu voudras. Si tu fais comme je te dis, ceux qui te cherchent n'auront aucune chance de te trouver. » Comment était-il au courant ? Il a souri : « Le téléphone arabe, fils. Même tous ces couillons de la Silicon Valley n'ont pas trouvé mieux. » Il a lavé les tasses, puis il a disparu dans sa chambre.

Je me suis allongé sans douleur. J'ai eu juste le temps de me dire que je n'avais pas pris de médicament, et je me suis endormi. J'ai rêvé de Stéphanie. Je l'embrassais, je me saoulais de la chaleur tendre de sa bouche. Nous faisions l'amour. Son odeur était encore là quand je me suis réveillé, et son absence a inondé la réalité d'une eau triste.

Beaucoup plus tard dans la nuit, à la fenêtre du salon, j'ai regardé vers l'est. Le ciel commençait à s'éclaircir au-dessus du plateau. Pour la première fois de ma vie, j'ai eu la sensation étrange que j'allais peut-être mourir ailleurs que dans ce trou.

3

Je suis resté trois jours chez Ali sans mettre le nez dehors ni appeler Maman. C'était toujours moi qui faisais le premier pas après un problème avec Nono, mais je n'en avais pas envie cette fois. Maman devait être morte d'inquiétude. Je ne m'en voulais presque plus de trouver que c'était mérité.

Pendant ces trois jours, j'ai nettoyé ma cicatrice, j'ai bu du thé et j'ai fait de l'exercice. Ça m'ennuyait de ne pas pouvoir courir, alors j'ai passé plus de temps que d'habitude à faire du gainage, du dos, du torse et des cuisses. Je m'installais sur le parquet vitrifié du salon et j'écoutais une station de radio qui passait de la musique classique, sans publicités ni palabres. Je faisais ce que j'avais à faire, sans me poser de questions. Je ne me suis pas demandé une seule fois comment j'allais passer le temps.

Le soir quand il rentrait de l'entrepôt, Ali allumait une cigarette en me regardant : « On dirait un jeune loup qui soigne ses morsures. » Il n'avait pas de nouvelles du patron et ne me rapportait pas les bruits de couloir, parce qu'il passait la journée en livraison et que les administratifs étaient déjà partis à son retour. Il s'installait à la fenêtre, le dos bien droit, et il n'y avait plus rien à dire pour le sortir de son silence.

Dans la journée, entre deux exercices, je scrutais moi aussi la ligne sombre du plateau derrière les blocs de béton, et je cherchais ce qui pouvait bien rappeler à Ali son pays natal. J'avais beau laisser filer mon imagination, m'arrêter sur chaque détail, la moindre aspérité du paysage, je ne voyais que le ciel immobile et les bras des éoliennes. Ce sur-place avait quelque chose d'effrayant : vu d'en haut, on finissait par avoir l'impression qu'il était dans la nature de tout ce qui existait ici de piétiner jusqu'à la fin des temps.

Le vendredi matin, le patron m'a appelé. Il avait bien réfléchi, il était désolé, mais l'entreprise allait devoir se séparer de moi : « Avec votre énergie et votre honnêteté, vous vous recaserez sans problème. Je peux vous faire une lettre de recommandation si vous le souhaitez. »

Je n'étais pas surpris. J'ai quand même voulu savoir si j'avais commis une faute. D'après lui, il ne fallait pas m'en faire, j'allais toucher mon chômage le temps de retrouver un autre emploi. Sa décision n'avait rien de « personnel » : lui, il m'aimait bien malgré mon côté « taciturne ». J'étais l'un des rares sur qui on pouvait compter. La difficulté, c'est qu'une entreprise ayant pignon sur rue n'avait pas besoin de ce genre de publicité. Il y avait eu beaucoup de rumeurs depuis lundi soir. « C'est normal, remarquez. On ne peut tout de même pas empêcher les gens de parler. » J'ai répété qu'on ne pouvait pas, pour lui faire plaisir, puis j'ai ajouté : « Je ne voulais pas faire de vagues. » Il a fait semblant de ne pas entendre. Il m'a juste conseillé de faire attention, parce qu'on ne savait jamais, et il a raccroché.

J'ai appelé Greg. Il m'a dit de ne pas m'inquiéter, que c'était de l'intimidation, et que si jamais on en arrivait là l'argument de la réputation ne tiendrait pas la route devant les prud'hommes. Mais je voyais les choses sous un autre jour : ça ne faisait rien, parce que j'avais déjà décidé de ne pas revenir. « Je voudrais juste que tu récupères mon blouson. » Greg est resté silencieux un moment, j'entendais son souffle à l'autre bout de la ligne. Puis il a fini par dire que je pouvais compter sur lui. Si je voulais, on pouvait aller chasser en forêt un de ces quatre, avant la fin de la saison.

J'ai ouvert la fenêtre. Un petit avion agricole volait très bas au-dessus du plateau. La blancheur du ciel m'a fait mal aux yeux, et au même moment quelque chose s'est défait en moi. J'avais perdu mon endurance et ma patience : c'était comme si quelqu'un était mort, comme si je n'étais plus d'ici. En regardant l'horizon blême, ratatiné par l'hiver, j'ai compris que je ne saurais plus jamais me contenter d'aussi peu.

Je me sentais vide, et j'avais le vertige. Les cloches de la cathédrale se sont mises à sonner loin derrière les tours. On devait fêter un mariage. Un autre vendredi, il y a très longtemps, j'avais entendu leur carillon à l'autre bout de la ville. C'était un souvenir heureux, agréable, sans autre détail que le tintement des cloches qui avait tout recouvert. Aujourd'hui ces mêmes cloches faisaient revenir un temps disparu, avant ces déceptions qui vous enferment comme une écorce. Le jeu était ouvert, le monde riche de périls et de fortunes, et la ligne du plateau traçait comme une route vers l'inconnu et l'ailleurs, vers la vraie vie. C'était ce moment où, dans la clarté de midi ou devant la neige qui commence à tomber, on se dit qu'il va enfin se passer quelque chose.

J'avais l'impression d'avoir attendu mille ans. De toutes les vies que j'avais rêvées, il ne restait rien de plus solide que le son de ces cloches dans le calme du matin.

Pendant une seconde j'ai pensé que ce n'était pas la peine d'aller plus loin. La fenêtre était là, grande ouverte, et le plateau m'appelait. Il n'y avait qu'à se laisser tomber. Je ne pouvais quand même pas rester caché chez Ali en faisant des pompes et en regardant le paysage jusqu'à ce que les copains du fils Bianconi me débusquent ou finissent par m'oublier. Tout se figerait, dans l'écho vague et anesthésiant de l'avenir, et j'en aurais fini avec la défaite.

J'ai imaginé la chute : je me suis vu en train de tomber, léger et libre comme l'air, et vingt-cinq mètres plus bas, sur la dalle de béton, un excès de matière dans la lumière du jour. C'était comme si c'était fait : tout pouvait disparaître d'une seconde à l'autre. J'ai compté jusqu'à trois, le plateau dans les yeux et les cloches dans les oreilles, et c'est là que je me suis rappelé Nono, la cave, les points de suture. Je ne pouvais pas mourir ici comme le fils Bianconi. N'importe où, oui, aux mains de n'importe qui, mais pas dans cette ville où j'étais déjà mort. Ça n'avait aucun sens : je ne pouvais pas leur laisser croire qu'ils étaient plus vivants que moi. Moi et tous les autres, Nono, les copains du fils Bianconi, mon père, ma mère, nous étions morts à la naissance parce que nous étions d'ici. Je voulais qu'ils sachent que j'étais parti me faire pendre ailleurs; je voulais que tous se sentent morts et défaits en pensant à moi et qu'ils n'aient plus que leurs yeux pour pleurer dans leurs vies de morts.

Je me suis habillé et je suis parti sans me retourner. J'étais prêt pour la bagarre en traversant la dalle, mais personne n'a fait attention à moi. Je suis sorti de la cité comme j'y étais entré : en plein jour et au milieu de la nuit, je n'étais plus qu'une ombre, un fantôme que les vivants ne peuvent pas voir.

Stéphanie habitait chez sa sœur aînée, dans la côte du lycée technique. J'ai décidé d'y aller en bus. Il faisait très froid, et j'ai attendu longtemps.

L'odeur de pâte cuite qui flottait autour de la boulangerie industrielle m'a donné faim. Je n'avais rien avalé depuis trois jours, à part les biscuits et le thé à la menthe d'Ali.

Le bus est arrivé, presque vide. Il faisait bon à l'intérieur. Quelqu'un avait laissé un paquet de chips sur le siège à côté du mien. Je l'ai terminé, et je me suis assoupi. Quand nous sommes passés devant l'arrêt de la maison, je me suis demandé ce que Maman était en train de faire, et si elle pleurait. Je l'ai imaginée assise dans la cuisine en souhaitant de toutes mes forces que la douleur l'empêche de se lever. Cette vision m'a mis les larmes aux yeux. On ne peut pas se débarrasser d'un seul coup de tous les sentiments qu'on a eu tant de peine à se fabriquer au fil d'une vie.

Je suis descendu devant le lycée technique. Les bâtiments en friche faisaient face aux gravats et à d'autres constructions abandonnées. À quoi ressemblait cet endroit avant le début du chantier? La demi-mesure était la malédiction de toute la ville. Trop loin et trop près de Paris. Trop grande et trop petite. Trop rurale et trop urbaine. Nous n'avions jamais su décider qui nous étions, qui nous voulions être. À présent, on avait décidé ailleurs que nous n'étions personne, juste une autre cité dortoir entre la capitale et les villes de la côte. La zone gagnait du terrain partout. Une fois qu'on avait compris qu'elle ne ferait aucun détour pour nous épargner, quelle raison restait-il de se fatiguer à finir nos immeubles?

Le vent m'a cueilli dans le grand virage. J'avais déjà descendu une bonne partie de la côte, et la ville venait de disparaître au fond de sa cuvette, derrière les fausses tuiles des pavillons. La rue était déserte. J'ai continué comme ça sur une cinquantaine de mètres, en m'abritant des rafales comme je pouvais, puis j'ai reconnu derrière moi le souffle du V8 allemand. Le copain du fils Bianconi m'a dépassé avant de ralentir quatre ou cinq maisons plus bas. Il a stoppé à cheval sur le trottoir et sur la voie de garage, comme s'il rentrait du boulot et qu'il était chez lui.

Il aurait fallu rebrousser chemin aussitôt et remonter la côte, mais je crois que j'ai voulu me faire mal. Je voulais voir ce que je savais déjà pour n'avoir rien à regretter au moment de larguer les amarres.

Les joues de Stéphanie étaient roses d'impatience quand elle a ouvert, et leur baiser a duré plus longtemps que le nôtre l'autre soir au café. Elle portait un jean bleu délavé et le même pull échancré que dans le bus. Le copain du fils Bianconi lui a mis la main entre les cuisses, le vent m'a ramené le rire étouffé de Stéphanie dans le cou de son amant, et la porte s'est refermée sur eux.

Tout ce qui était encore vivant en moi s'est envolé à ce moment-là. Si quelqu'un était passé dans la rue, il n'aurait vu que le vent, le béton de notre ville et le ciel tout blanc au-dessus du plateau comme un grand drap tiré sur nos malheurs.

Plus tard j'ai retrouvé Greg à la sortie de l'entrepôt. Il était excité comme tous les vendredis soir, parce que d'ici quelques heures il serait à Deauville en train de claquer sa paye au casino. Il m'a demandé si je voulais venir avec lui. Moi, je n'avais pas d'argent. Il a haussé les épaules en disant que je ne savais pas vivre.

Le soleil était couché depuis longtemps, je commençais à me sentir fébrile. Greg est retourné à l'intérieur chercher mon blouson. La sensation de chaleur m'a fait du bien, comme quand on s'enfonce dans un bain : le plaisir immédiat fait taire quelques instants ce qui nous tourmente. Après tout, je me racontais peut-être des histoires. À force de fréquenter Greg, d'être exposé à son optimisme, je finirais bien par me convaincre que ça ne serait pas si terrible de rester ici.

« On va se faire deux ou trois perdrix demain, vieux ? » Quelque chose de simple et de rassurant rayonnait du visage de Greg. Il avait le dos large et le sourire toujours égal de ceux qui ne se plaignent pas, qui savent naviguer dans le dur de la vie. « Alors ? Ça te tente ? Je m'occupe des sandwiches et de la bière, et je passe te prendre en rentrant de Deauville. Allez, vieux. T'as besoin de prendre l'air. » Il n'y avait rien de plus facile, comme ce matin à la fenêtre : je n'avais qu'à me laisser tomber sous son aile, à devenir son ami, et tout rentrerait dans l'ordre. Je ferais comme Greg et je réapprendrais à aimer mon sort, comme si cette ville moisie par tous les coins abritait monts et merveilles. Plus que l'amour, plus que la famille, l'amitié me semblait une illusion durable qui finissait parfois, sans qu'on sache comment, par devenir réalité.

Je pressentais qu'avec les mois et les années je pourrais peut-être vivre avec la lâcheté de ne pas être parti. Mais là, devant Greg qui me faisait comprendre que je pouvais compter sur lui, l'idée de renoncer par mollesse m'a fait me sentir tout petit. Je voulais être un homme. Il n'y avait qu'une seule chose à dire pour rompre le charme, alors je l'ai soufflée, d'une voix qui m'a paru être celle d'un inconnu : «J'ai besoin d'argent et tu as besoin d'écouler tes machines. Je connais un acheteur. On fait moitié-moitié et on n'en parle plus.»

Greg m'a regardé en silence et a souri. Il n'y avait ni étonnement ni déception dans ce sourire, au contraire. J'ai eu l'impression qu'il s'attendait à ce que je lui fasse une proposition de ce genre pour décliner la sienne.

«Tu veux faire des affaires? C'est bien.» Il ne me demandait rien, alors je me suis senti obligé de lui parler d'Ali et de sa connaissance. «Combien?» a coupé Greg comme si toute explication était superflue.

J'ai répondu au hasard : «Une vingtaine. Vingt, ce serait idéal.» J'ai trouvé que les mots sonnaient faux dans ma bouche et je me suis trouvé idiot. Je m'étais pris pour quelqu'un d'autre, mais Greg a fait semblant de ne pas remarquer ma gêne. « Dix mille cash, cinq mille pour toi et cinq mille pour moi. Et tu promets de m'accompagner au casino pour fêter ça. »

J'ai souri et nous nous sommes serré la main. Je me sentais récompensé, parce que ce n'était pas impossible que Greg ait voulu par ce geste me faire comprendre que nous faisions partie du même monde. Il est monté dans sa voiture et m'a proposé de m'avancer un peu. Je ne savais pas où aller, alors j'ai dit qu'il fallait que je passe à la Madeleine. Nous avons fait le tour de la ville et je suis descendu à l'entrée de la cité.

« Méfie-toi de lui, quand même », a dit Greg en levant les yeux vers les tours comme si Ali était le maître des lieux. « Je me suis laissé dire que ses attentions ne sont pas toujours bénévoles. »

Ali avait une cigarette à la bouche quand il a ouvert la porte : « Je ne pensais pas te revoir de sitôt. » Je l'ai regardé dans les yeux et je lui ai demandé pourquoi il m'avait aidé. J'étais énervé à cause de ce que Greg avait dit. Ali a pris sa place habituelle devant la fenêtre, et il a répondu que c'était la chose la plus naturelle du monde : « Parce que tout bon musulman aide ceux qui en ont besoin. » J'ai trouvé ça hypocrite, et je lui ai demandé s'il connaissait beaucoup de mauvais musulmans. « C'est à Dieu de juger, a-t-il dit. Ce qui me revient à moi, c'est de faire tout ce qui est en mon pouvoir pour vivre selon la loi de l'islam. » Je ne l'avais jamais vu prier durant ces trois jours, et je trouvais qu'il fumait beaucoup pour quelqu'un d'aussi pieux. «Je prie dans ma chambre. Pas pour qu'on me regarde prier. La cigarette, c'est entre Dieu et moi.»

Je me suis calmé et je n'ai plus pensé à la mise en garde de Greg. Tout à coup, je me suis rappelé que je n'avais pas changé mon pansement depuis hier soir. «Je vais regarder, a dit Ali. Je pense que tu n'en as plus besoin.» La plaie était propre et bien refermée. «Si Younes avait cicatrisé aussi vite que toi...», a-t-il pensé à voix haute, sans achever sa phrase.

Younes était un jeune boxeur dont Ali s'était occupé à l'époque où il travaillait pour le programme olympique tunisien. «Le meilleur que j'aie eu. Je l'ai fait passer pro après les jeux de Montréal. Un œil, des réflexes, une coordination de champion. Il aurait dû aller tout en haut.» Le problème de Younes, c'est qu'il ne s'arrêtait plus de saigner si son adversaire parvenait à l'ouvrir. «Je n'ai jamais compris d'où ça venait. J'ai essayé de changer son alimentation, son rythme de sommeil. Je l'ai même fait déménager au cas où ça aurait été une allergie. Un vrai mystère, il y a des gens comme ça. Tu peux être le plus fort, le plus doué, ça ne sert à rien si ton corps ne veut pas.» Younes voyait les coups venir et savait les éviter. Mais la veille de son troisième combat professionnel, il avait attrapé une vilaine conjonctivite qui lui avait à moitié fermé l'œil gauche. Son adversaire du soir était un gros frappeur. Alors que

Younes faisait la course en tête aux points, le gars lui avait coupé l'arcade d'un énorme crochet du droit. Ali avait eu beau utiliser toute sa science pour bloquer le sang, l'arbitre avait arrêté le combat, et Younes ne s'en était jamais remis.

La dernière fois qu'Ali avait eu de ses nouvelles, Younes traînait dans les rues de Tunis et ramassait des bouts de métal qu'il refourguait aux ferrailleurs du coin. « Celui-là, a conclu Ali en allumant une cigarette, je n'ai pas pu l'aider. Parfois il n'y a rien à faire. »

J'ai attendu un peu, le temps que le souvenir se dissipe. Puis, en imaginant les mots qu'aurait utilisés l'autre soir le représentant commercial sur la route de Rouen, j'ai dit que j'avais vingt portables de premier choix à vendre pour la moitié du prix en magasin.

Ali s'est retourné : « L'homme dont je t'ai parlé s'appelle Mirko. »

C'était un nom ou un prénom ? La question l'a fait rire. « Un prénom. Bosniaque. Il est arrivé ici il y a vingt ans. Réfugié, à cause de la guerre là-bas. Mais je crois qu'en réalité c'était plutôt un déserteur. » Il a ri encore et a allumé une nouvelle cigarette. « Le genre de type que les frontières n'arrêtent pas. »

Je savais qu'il y avait des Yougoslaves près d'ici, du côté de Louviers. On leur livrait de temps en temps des frigos, des écrans plasma, toutes sortes d'appareils électroménagers qu'ils rangeaient dans un garage et qui avaient disparu quand on revenait la fois d'après. Ces gens-là ne parlaient pas. Ils se contentaient de signer le bon de livraison, saluaient sans sourire, et la porte du garage retombait devant leurs visages de pierre.

Où est-ce qu'on pouvait trouver ce Mirko? « C'est lui qui te trouvera, a répondu Ali. S'il le veut. »

La précision était superflue, alors j'ai dit à mon tour : « Si *Dieu* le veut. Ce n'est pas à moi ou Mirko de décider. » Ali a laissé tomber un peu de cendres sur son parquet et m'a regardé comme s'il venait de surprendre un cambrioleur dans son salon. Puis il a répondu, sans desserrer les lèvres : « *Inch' Allah.* Je vois que tu apprends. »

J'étais peut-être allé trop loin. Après tout, Ali m'avait aidé et je n'avais aucune raison valable de m'en faire un ennemi. J'avais besoin de lui, de Mirko, de son argent. Cinq mille euros pour mettre autant de kilomètres que possible entre moi et tout le mauvais sang de cette ville.

J'allais dire quelque chose pour me rattraper, mais Ali ne m'en a pas laissé le temps : « Tu seras toujours le bienvenu chez moi, fils. Mais il y a des choses avec lesquelles on ne doit pas plaisanter. » J'ai dit que je comprenais. D'après Ali, je ne comprenais rien : « Tu crois que c'est une histoire de religion? La religion n'a rien à voir là-dedans. Tu crois que le paysan m'a craché dessus parce que je suis musulman? Parce que je suis arabe? Il voit le musulman et l'arabe, oui. Mais tu sais ce qu'il voit aussi ? Il voit un pauvre malheureux qui lui ressemble. Il se hait parce que la vie ne lui a rien donné, alors pourquoi il ne me haïrait pas, moi qui n'ai rien de plus que lui ? La religion, c'est le grand secret de chacun et c'est aussi un masque. C'est la vie qu'il faut casser. La vie qui nous écrase et qui ne nous laisse pas respirer. La vie et tous ceux qui tirent les fils au bout desquels nous dansons comme des pantins. »

Le lendemain matin, je suis parti à Louviers avant le lever du soleil. Greg avait accepté de me prêter sa voiture. Nous nous sommes retrouvés sur le parking de l'entrepôt, et il m'a donné les clés en disant : « Toute une nuit, vieux. Qu'on gagne ou qu'on perde : je te jure que tu feras la fermeture du casino. » Il avait laissé un des ordinateurs portables sur le siège passager au cas où j'aie besoin d'un échantillon.

Sur la route j'ai repensé à ce que m'avait dit Ali et j'étais plutôt d'accord avec lui. Je n'ai eu aucune difficulté à retrouver le chemin, mais le garage des Yougoslaves avait son rideau baissé quand je suis arrivé. J'ai fait le tour du bâtiment et je suis arrivé devant une quincaillerie. Elle était fermée elle aussi. J'ai regardé l'heure sur mon téléphone : il était huit heures cinq. Sur la porte, deux autocollants avec un drapeau m'ont fait penser au fanion du club de foot où j'avais joué jusqu'à mes dix-sept ans – bleu, orné d'un triangle jaune et d'étoiles alignées en diagonale. Entre les drapeaux, on avait glissé à la va-vite un carton où il était écrit : EN CAS D'ABSENCE VOIR LE RESTAURANT.

J'ai été surpris que la porte du restaurant soit ouverte à une heure aussi matinale. Il faisait très sombre, et il y avait dans l'air une odeur à la fois âcre et de renfermé, comme si cet endroit se trouvait en sommeil depuis des mois. De grands miroirs étaient suspendus aux murs, décorés de photos et d'autocollants bleus et jaunes identiques à ceux de la porte d'entrée. Entre les miroirs, on avait accroché des tableaux de scènes champêtres, une colline boisée, une rivière, une vache dans un pré. On avait le sentiment que rien n'arriverait jamais dans ces paysages. Malgré la lumière c'était la même tristesse, la même immobilité que sur le plateau, sauf que ce n'était pas la campagne d'ici.

Les tables de la première salle étaient propres mais voilées par une fine poussière. J'ai compris que je n'étais pas dans un restaurant, mais dans l'un de ces bistrots moribonds, trop à l'écart des axes de passage. Un grand type aux cheveux ras me fixait derrière le zinc. Je l'avais déjà vu dans le garage, il était l'un de ceux qui réceptionnaient les livraisons. Je me suis approché. Il m'a fait un signe de la tête pour me demander ce que je voulais. J'ai commandé un café, et j'ai vu qu'il m'écoutait en regardant mon oreille. Il m'a étudié encore un moment, puis il a dit « Turc » en roulant le *r* et en prononçant le *u* avec dureté, presque comme un *i*. Je n'ai pas compris. Il a répété : « Turc. Ici on sert le café turc. »

J'ai eu le temps de regarder autour de moi pendant qu'il faisait chauffer l'eau. Dans l'arrière-salle, une tablée de cinq hommes jouait aux cartes, dont deux m'étaient aussi familiers. Ils s'interpellaient dans leur langue en utilisant toujours la même expression et ils riaient. À côté de moi, un petit moustachu était assis au comptoir et lisait son journal sans se mêler à leur conversation. Un bonnet noir qui paraissait trop petit lui couvrait le haut du crâne.

Cet endroit n'était pas loin de tout par hasard. Il y avait une utilité à son isolement : blanchir l'argent que les Yougoslaves récoltaient avec leur contrebande.

Après m'avoir servi, le barman s'est désintéressé de moi et a commencé à parler à mon voisin dans la même langue que les autres hommes. Ils ont discuté pendant cinq minutes, puis le moustachu s'est écrié en français : « Il ne marche pas, ton cadenas, il est cassé. Voilà ce que cet idiot me dit, et il veut que je le lui reprenne. Alors je lui réponds : écoute, tu veux me fâcher ou quoi ? C'est ton cerveau qui est trop cassé pour ouvrir une porte. »

J'ai attendu qu'ils aient fini de rire pour demander si l'un d'entre eux savait où je pouvais trouver Mirko. Les hommes à la table ont continué leur belotte, le quincaillier la lecture de son journal, et le gros costaud derrière son bar s'est approché de moi.

« Il n'est pas là, Mirko. Qu'est-ce que tu lui veux ? »

J'ai parlé de l'offre que j'avais à lui faire. « Une offre, a répété le barman. Et qu'est-ce que tu as à offrir ? » Je lui ai récité mon couplet de VRP, puis j'ai posé le portable sur le zinc. Il l'a inspecté sans l'allumer et l'a rangé sous le comptoir. « Repasse ici mardi matin à la même heure. » J'ai dit que je ne pouvais pas lui laisser la machine sans contrepartie. Il m'a dévisagé : « Tu veux que je te signe un reçu, petit ? On n'aime pas trop la paperasse par ici. »

Il y avait un pistolet pas très bien caché sous des chiffons à côté de la chaîne hi-fi. Je l'ai pointé du doigt et j'ai dit : « C'est ça que je veux. » Le barman a froncé les sourcils et jeté un coup d'œil du côté des joueurs. L'un d'entre eux m'a regardé derrière ses cartes, puis il a hoché la tête.

Le barman a ouvert un coffre. Il en a sorti un autre pistolet, un plus petit calibre, et un chargeur. Il les a posés devant moi sur le zinc, et il a dit : « J'espère que tu sais comment ça marche, petit. » J'ai sorti une pièce de deux euros pour payer mon café. « Le café, a dit le joueur de cartes qui avait donné son feu vert, c'est pour la maison. » Est-ce que c'était Mirko ? Je les ai remerciés, lui et le barman, et j'ai ramassé le pistolet et les cartouches avec la même excitation que je ressentais enfant au pied du sapin en plastique de mon père le 25 décembre.

Je me suis dépêché de sortir, parce que la patience n'avait pas l'air d'être la principale qualité de ces gens-là.

4

J'ai beaucoup pensé à Stéphanie les jours qui ont suivi. Ça me rendait plus ou moins triste selon les moments, mais la plupart du temps je nous imaginais en train de faire l'amour dans la maison près du lycée technique et je ne ressentais rien de particulier, à part que j'avais toujours très envie d'elle et qu'elle me manquait. D'autres fois je l'imaginais avec le copain du fils Bianconi et je devais serrer très fort la crosse du pistolet pour que ces images disparaissent. Je me demandais ce qui arriverait si je les revoyais ensemble, si j'aurais le courage d'appuyer sur la détente.

Est-ce que j'avais pris cette arme pour le copain du fils Bianconi, ou est-ce que je voulais seulement me protéger contre ceux de sa bande qui me cherchaient? Je n'avais pas la réponse. Elle s'imposerait à moi dans un cas comme dans l'autre, pas la peine de tirer des plans sur la comète.

Entre Ali et moi, c'était bonjour-bonsoir. Il faisait comme s'il avait passé l'éponge. Moi, je voyais bien que mes paroles lui restaient en travers de la gorge. Il m'avait aidé, et je l'avais déçu. Une ou deux fois, quand il fumait à la fenêtre, j'ai essayé de lui montrer que j'étais d'accord avec sa vision des choses, qu'on ne m'y reprendrait plus. Dieu et la religion n'avaient rien à voir là-dedans, ça me semblait désormais une évidence. Je voulais aussi dire à Ali que je lui étais reconnaissant de m'avoir mis en contact avec les Yougoslaves. Mais il continuait à me tourner le dos, à scruter sa Tunisie dans les mirages du plateau, et j'ai fini par abandonner.

Lundi, la veille du jour où je devais retourner au restaurant yougoslave, Maman a appelé pour demander si j'avais besoin de quelque chose. Elle m'a dit aussi que les deux officiers de police voulaient me voir et qu'ils n'arrivaient pas à me joindre sur mon portable. Je l'ai remerciée et je lui ai demandé si elle voulait me dire autre chose. « Tout va s'arranger, a dit Maman. Nono est désolé, tu sais. » Non, je ne savais pas : « Alors il veut me demander pardon ? » Maman a eu l'air embarrassé. Nono, ce n'était pas le genre à s'excuser. La gêne de Maman m'a fait un peu de peine et j'ai accepté de passer à la maison en fin de journée.

Je suis arrivé un peu avant six heures. Le soleil venait de plonger derrière l'horizon, sombre et sinistre comme toujours en hiver à ce moment de la journée. Le plateau était tellement noir, tellement chargé de nuit, qu'on ne pouvait s'empêcher de se demander si le soleil produirait assez de lumière le lendemain pour qu'un nouveau jour se lève.

Le chien des Bianconi n'a pas aboyé et je suis entré par la porte de devant. La voiture de Nono n'était pas là. Maman m'attendait dans la cuisine, une tasse de thé à la main. J'ai vu tout de suite qu'elle n'osait pas me regarder, alors je me suis assis juste en face d'elle, pour qu'elle voie bien mon oreille. J'ai dit que je voulais de l'eau. Elle s'est levée pour me servir, mais je l'ai arrêtée. Je me rappelais quand même où étaient rangés les verres. Elle a souri et elle a répondu : « Oui, bien sûr, excuse-moi », en détournant les yeux. Je l'ai regardée en silence, ses bras maigres, ses joues creuses, ses cheveux blancs à la racine qu'elle avait oublié de teindre. Elle m'a fait pitié. Pourtant quelque chose m'empêchait de le lui dire, d'avoir un mot gentil. Plus je la regardais, avec ses boîtes de comprimés et ses annonces de petits boulots, plus je la trouvais misérable, et plus je voulais la voir souffrir.

C'était plus fort que moi, j'étais comme le paysan qui avait craché sur la camionnette : « C'est la seule chose qui mérite des excuses ? » Ses paupières se sont gonflées en palpitant, elle faisait un effort immense pour ne pas pleurer. Je me suis haï comme une bête et je l'ai haïe encore plus. J'attendais que ses larmes se mettent à couler pour que ma haine soit totale, et en même temps je la suppliais en silence de ne pas se laisser aller. Une sorte de maladie avait pris racine en moi.

Elle s'est mise à pleurer quand je lui ai demandé : « Tu as trouvé du travail ? » Ses yeux sont devenus tout rouges et brillants, et le noir de son maquillage a roulé jusqu'aux coins de ses lèvres. Elle s'est mouchée comme un enfant qu'on n'arrive pas à calmer après une chute de toboggan. Tous ces liquides, cette faiblesse qui ne s'arrêtait pas, c'était dégoûtant. Et moi, je me trouvais plus dégoûtant encore de n'être pas capable de la prendre dans mes bras. Je me suis dit : « Ça y est, elle n'est plus ma mère et je ne suis plus son fils. »

Cette pensée m'a donné envie de pleurer moi aussi, mais c'est à ce moment-là que Nono est rentré. Je ne l'avais pas entendu se garer, ni monter les marches, ni ouvrir la porte d'entrée, j'ai vu sa charpente massive dans le couloir, ses épaules qui touchaient presque les murs, ses mains épaisses et râpeuses, et j'ai compris soudain pourquoi le pistolet des Yougoslaves était dans ma poche, chargé. Je l'ai sorti et j'ai pointé le canon sur Nono, qui a eu un mouvement de recul presque comique.

À cette distance, je ne pouvais pas le rater, il me faisait penser à une grosse carcasse de viande au bout de son crochet. Maman a dit mon nom deux fois, mais ce n'était plus le mien. J'ai serré la crosse et mon index a touché la détente. Nono aussi a dit ce nom étranger, puis il a posé les mains à plat sur les fleurs du papier peint, de chaque côté du couloir. C'était sûrement pour se soutenir, parce que ses jambes tremblaient, mais j'ai eu l'impression qu'il laissait la voie libre au morceau de plomb qui allait le tuer, pour qu'il l'atteigne en plein cœur. S'il ouvrait la bouche une fois de plus, s'il demandait pardon, j'appuierais sur la détente.

Je me suis retrouvé dans le jardin, avec toujours autant de cartouches dans le pistolet. Quelque chose s'est agité dans l'obscurité, derrière la haie, et le chien des Bianconi s'est mis à aboyer. En voyant sa longue silhouette entre les lauriers, je me suis dit qu'il ne déchirerait plus le silence de l'hiver. J'ai tiré une fois dans le noir, puis une autre, et les aboiements se sont tus avant que l'écho du coup de feu se perde dans la nuit.

À huit heures pile, le lendemain matin, je suis entré dans le bistrot de Louviers. Il y avait un autre homme derrière le bar, un des joueurs de belote. Il m'a souhaité la bienvenue comme s'il ne savait pas pourquoi j'étais là. Le quincaillier était installé à la même place, son café et son journal devant lui, les épaules légèrement voûtées. Toutes les tables étaient vides. J'ai commandé, et j'ai attendu.

Au bout de cinq minutes, le quincaillier a replié son journal en soupirant, et il a demandé un autre café : « Vous venez de loin ? » Il m'a fallu un instant pour comprendre que la question s'adressait à moi, parce qu'il regardait droit devant lui, comme un aveugle. J'ai répondu que je venais d'Évreux. Alors, toujours sans me regarder, il a ajouté : « J'ai entendu dire que c'était une ville pas si laide autrefois. C'est sûr qu'aujourd'hui... » C'était chez moi, et j'étais habitué. « Oui, bien sûr, on s'habitue à tout, à condition de rester assez longtemps. C'est quelque chose de très humain. »

D'un côté, son accent lui donnait un air un peu mélancolique qui me l'avait rendu sympathique l'autre jour, et il avait ce regard d'aveugle, comme Ali, qui pouvait laisser penser qu'on avait à faire à quelqu'un de timide. De l'autre, il était beaucoup plus jeune que ce que j'avais imaginé en l'écoutant raconter ses histoires de magasin. C'était un homme robuste, imposant malgré sa petite taille, et le tatouage qui dépassait de sa manche laissait penser que ma première impression ne résisterait peut-être pas à un examen plus poussé.

« Qu'est-ce qui vous amène ici, alors ? » a-t-il dit en pivotant sur son siège pour se tourner vers moi. Ses yeux bleu pâle jetaient comme une vague de tristesse devant lui. J'ai répondu que j'étais venu voir un homme pour lui vendre des ordinateurs. Le quincaillier a observé que j'avais l'air un peu jeune pour être un businessman. « Comment s'appelle votre client ? Je le connais peut-être. » J'ai dit que j'étais venu voir Mirko, mais que je commençais à avoir des doutes sur son existence. Ça l'a fait rire : « Vous n'êtes pas le seul à vous poser cette question au sujet de Mirko. Moi-même, parfois... »

« Vous le connaissez ? » Il le connaissait bien, et pourtant il lui arrivait de penser qu'il ne le connaissait pas du tout. Je me sentais désorienté par le tour de la discussion. Je ne reverrais pas mon échantillon, et je n'étais pas sûr d'aimer la façon que ce quincaillier avait de tourner autour du pot. Au fond de moi, pour dire la vérité, je n'étais pas prêt à perdre la face devant Greg en revenant les mains vides.

« Il est parfait, ce modèle, je prends les vingt. » La voix était si différente, si sèche, si dépourvue de sentiments, que j'ai regardé derrière moi pour voir qui venait d'entrer. Mais le bistrot était vide. Derrière le zinc, le barman astiquait les verres pour ses clients fantômes. Le quincaillier s'était remis face au bar et son profil éclairé par le néon se détachait de l'obscurité qui remplissait la salle. J'ai remarqué une enveloppe épaisse sur le comptoir. « Dix mille, plus mille de prime pour avoir arrangé la transaction. Ali m'a parlé de toi. J'aime bien ta façon de faire : tu n'y vas pas par quatre chemins. » C'était la même voix, et malgré mon incrédulité j'ai été obligé d'admettre qu'elle ne pouvait appartenir qu'au quincaillier.

Mirko ? « Entre autres. Tu me feras livrer le reste au garage. Maintenant que le marché est conclu, qu'est-ce que je peux faire pour toi ? »

J'étais surpris. Mais aussi reconnaissant, parce qu'il ne m'avait pas appelé par mon prénom.

C'était comme si, sous sa moustache et ses airs bourrus, cet homme était un bon génie qui avait le pouvoir d'exaucer mes vœux. J'avais l'impression qu'il me comprenait, et que ma pauvre vie n'avait déjà plus aucun secret pour lui.

J'ai dit que je voulais partir, loin. J'ai parlé des deux flics qui voulaient me revoir. J'ai été tenté de passer sous silence que j'avais tué le chien des Bianconi, mais je me suis dit qu'un homme comme Mirko devait savoir, d'une façon ou d'une autre. Les raisons ne l'intéressaient pas ; il s'est mis à réfléchir. On voyait tout de suite qu'il n'était pas du genre à peser le pour et le contre pendant des heures et qu'il avait l'habitude de prendre des décisions sans les regretter.

« Tu es déjà allé en Afrique ? »

Je ne mettais jamais les pieds en dehors de la Normandie. Un voyage à Paris, un autre dans le Sud-Ouest, un séjour linguistique dans la campagne anglaise avant que j'arrête le lycée : les exceptions se comptaient sur les doigts d'une main.

« Il y a ce type que je connais au Mali. Fouad. Un contrebandier, comme moi. Mais il a de nombreuses affaires. » Il fronçait les sourcils et se frottait les tempes comme s'il cherchait la meilleure manière de me présenter les choses. « Il a besoin de quelqu'un qui s'y connaisse en informatique pour ses cybercafés. À Bamako. Ça t'intéresse ? »

Le nom de la ville a roulé dans ma tête comme un générique de film hollywoodien. En répétant ces trois syllabes magiques, j'ai revu le sable et la poussière de mon rêve dans la cave. Je me suis dit que je frappais à la porte de la grande vie, que Stéphanie apprendrait un jour que je vivais comme un seigneur du désert, entouré de cent femmes comme elle. Je me suis contenté de hocher la tête pour ne pas dire de bêtises. Et j'ai répondu oui : « Seulement, je n'ai pas de passeport. »

Mirko a éclaté de rire, un rire plein et sonore qui lui a secoué tout le haut du corps. Il ne se moquait pas de moi. C'était peut-être un effet de la joie qui se déversait dans mes veines, mais j'ai entendu une sorte de tendresse dans les sons chahutés qui sortaient de son nez et de sa gorge. « Si c'est le seul problème à l'horizon, a-t-il dit en redevenant maître de lui-même, on doit pouvoir s'en sortir. »

Il me fixait avec ses yeux généreux, que son rire n'avait pas lavés de leur tristesse. « Tu as quel âge, petit ? » J'ai répondu que j'allais sur mes vingt et un ans, et en même temps je me suis dit qu'il me rappelait moins Ali que mon père. Non pas physiquement, car Mirko était aussi dense que mon père était longiligne, mais par cette force tranquille qui se dégageait de l'un et de l'autre : ils étaient là, leur présence remplissait l'espace autour d'eux. Mon père, jusqu'à ce qu'il nous abandonne, avait occupé tout le terrain que la mélancolie de Maman lui avait laissé. J'étais gagné par une sensation de sécurité chaque fois que je repensais à ces années. Et chaque fois que j'étais frappé par le calme et la sérénité de quelqu'un d'autre, je ne pouvais m'empêcher de repenser à mon père.

«J'ai un fils un peu plus vieux que toi. Il est né au début de la guerre. Je suis venu ici et je ne l'ai pas vu grandir. Quand je suis revenu chez moi, des années après, sa mère était remariée avec un autre homme. On lui avait dit que les oustachis m'avaient fait prisonnier et que j'étais mort. Je ne lui en veux pas : si j'avais été attrapé par ces chiens de Croates, à l'heure qu'il est mes os seraient en train de pourrir dans un de leurs charniers.»

Mirko a craché par terre, puis il a ajouté : «Je crois que j'aimerais encore mieux pourrir à Évreux.» Il a interpellé le barman et il a commandé un autre café dans leur langue. J'ai attendu de voir s'il continuait son histoire, mais comme il se taisait je lui ai demandé s'il voyait souvent son fils. «Aussi souvent que j'ai des nouvelles de Dieu. Sa mère m'envoie des photos une fois par an. Il faut que tu comprennes, petit : il ne sait pas que j'existe.»

Il a sorti une photo de son portefeuille et me l'a donnée. C'était le portrait d'un garçon brun aux yeux noirs comme du charbon, très souriant. Il avait l'air plus jeune que moi. Peut-être que la photo n'était pas récente. «C'est sa mère tout craché», a commenté Mirko comme pour lui-même. J'ai failli lui demander comment s'appelait son fils, mais lui non plus, si ça se trouvait, n'aimerait pas entendre ce nom qui ne signifiait plus rien qu'une vie révolue. À la place, j'ai dit que sa mère devait être très belle. Mirko a souri : «J'en ai eu de bien plus belles depuis», ce qui a fait rire le barman. Puis il a bu son café en une gorgée : «Ton passeport sera prêt dans une dizaine de jours. En attendant, si la police te cherche, on peut te cacher ici.» Je l'ai remercié, mais j'étais un peu gêné parce que ça m'ennuyait de dépenser mes six mille euros sur une pièce d'identité. «C'est mon ami de Bamako qui paye. Et ne le remercie pas quand tu seras sur place : c'est normal pour les sociétés de prendre en charge les frais d'installation à l'étranger de leurs employés.»

J'ai cherché autre chose à dire mais je n'ai pas trouvé, alors je l'ai encore remercié. Mirko s'est approché de moi et m'a mis la main sur l'épaule : «Pas de quoi, petit. Mais il faut que tu me rendes le pistolet et que tu me donnes ton téléphone. On va t'en donner un autre. À partir de maintenant, tu voles sous les radars.»

J'ai passé la semaine dans une petite chambre installée au-dessus du garage des Yougoslaves, que j'appelais désormais les Bosniaques quand je parlais à Greg. Nous nous sommes mis d'accord pour livrer les ordinateurs vendredi en fin d'après-midi et fêter ça au casino le soir même. Greg emprunterait un utilitaire de la société pour le transport, et on le ramènerait à l'entrepôt samedi matin avant que les gens de la logistique s'aperçoivent de sa disparition.

Il n'y avait qu'un matelas et un radiateur électrique dans ma chambre, mais comme elle était petite et étroite, la plupart du temps je n'avais pas froid. Quand je ressentais le besoin de me dégourdir les jambes, je descendais manger au bistrot et je faisais un petit tour jusqu'à la voie ferrée voisine, entre les usines désaffectées. La nuit, je gardais mon blouson pour dormir. Même si le temps semblait s'écouler au goutte-à-goutte, je ne peux pas dire que je m'ennuyais, parce que l'imagination de ce que serait ma vie en Afrique remplissait mes journées. J'essayais de me représenter les paysages et les gens, de sentir les odeurs, d'entendre les bruits de la ville, de deviner le goût de la nourriture.

Le barman m'avait aussi donné des magazines militaires que je parcourais en essayant de mémoriser le nom des armes, leur calibre et leur usage. Les moments où je me sentais trop fatigué pour lire ou pour imaginer ma nouvelle vie, je m'allongeais en glissant les mains sous ma nuque et je fixais le plafond jusqu'à ce que les fissures du plâtre n'aient plus aucun secret pour moi. Au bout de trois jours, elles dessinaient une carte. J'avais placé le Mali au centre du monde, une sorte d'empire vers lequel affluaient toutes les routes et tous les fleuves, toutes les convoitises.

Le jeudi matin, après avoir appelé Greg, j'ai décidé d'aller voir mon père. Je ne sais pas pourquoi ça m'a pris à ce moment-là. J'ai marché jusqu'à la gare routière, et j'ai attendu le car. La ferme de mon père se trouvait à mi-chemin entre Évreux et l'arrêt précédent. J'ai enfoui les mains dans mes poches et remonté mon col en descendant, puis j'ai marché trois kilomètres le long de la départementale avant de bifurquer à droite sur la route de son village.

Le portail était ouvert quand je suis arrivé et j'ai reconnu tout de suite sa voix à l'intérieur de la maison, la voix de mon souvenir. Cela faisait presque dix ans qu'il était parti. La dernière fois que je lui avais parlé, c'était au téléphone. Je me suis approché avec prudence, parce qu'il avait toujours un fusil près de lui pour les cambrioleurs, et je me suis rendu compte qu'il parlait tout seul. Il était en train de se fabriquer une liste de choses à faire avant le marché du lendemain. C'était très méthodique, comme à l'époque où je l'entendais énumérer les courses à faire. Maman me regardait en souriant et elle tournait le doigt à hauteur de sa tempe pour dire qu'il était fou.

Il s'est arrêté au milieu d'une phrase quand il m'a vu sur le perron. « Ta mère a appelé lundi soir », a-t-il lancé comme si nous nous étions quittés la veille. Il est resté là, immobile, au lieu de venir vers moi. « Elle a dit que tu avais tué le chien des Bianconi. » J'ai senti qu'il se méfiait, et ça m'a rendu triste. J'ai dit que je n'avais plus le pistolet. Il s'est un peu détendu : « De toute façon, c'était bien mérité. » Puis il a voulu me faire entrer mais j'aimais mieux rester dehors. Nous étions un peu plus proches maintenant. « Qu'est-ce que tu t'es fait à l'oreille ? » a-t-il demandé avec une inquiétude qui paraissait sincère.

J'ai dit que ce n'était rien. « Je vais partir. Loin. » Je crois que j'ai dit ça avec fierté. Il n'a pas eu l'air étonné : « Je sais. » Comment ? Il a répondu que j'avais changé, et qu'on voyait que j'étais prêt à découvrir le monde. « Ne fais pas la même erreur que moi : pars avant de rencontrer quelqu'un. Tu rencontres une fille ici, et c'est fini. Il faut que tu partes et que tu vives. » Je comprenais, c'était ce que j'avais choisi. Mais il a insisté : « Peu importe la vie que tu auras. Tout vaut mieux que de rester et de vieillir là où tu es né. » Une larme a coulé sur l'arête de son nez, mais cette larme ne m'a pas mis hors de moi comme celles de Maman. Je portais tout le poids de ces années où il avait été absent et j'ai eu envie de lui dire qu'il m'avait manqué. Ça n'aurait pas été équitable, alors j'ai dit au revoir et je suis reparti comme j'étais venu.

Cette nuit-là j'ai encore rêvé de Stéphanie. Elle était devant la maison de Maman, dans son jean bleu clair et son pull décolleté, et elle voulait qu'on la laisse entrer. Des aboiements se rapprochaient. Je sentais qu'elle avait très peur, mais je n'étais pas là pour ouvrir. Stéphanie est restée devant la maison, patiente et effrayée, jusqu'à ce qu'une meute de bergers allemands débouchent dans la rue et se jettent sur elle. En me réveillant, je me suis promis de ne plus jamais attendre que la vie me broie et qu'elle me défigure.

C'était vendredi, le jour de la livraison. Les Bosniaques étaient très contents de la marchandise et ils ont voulu marquer le coup en nous offrant leur alcool de prune. Greg et moi sommes restés longtemps au bistrot, parce que nous ne voulions pas insulter nos acheteurs. Il était déjà tard quand nous sommes arrivés au casino. Je ne sais pas si c'est parce que nous avions trop bu, mais la chance a été contre nous d'entrée de jeu et nous avons perdu plus de mille euros en une demi-heure. Nous avons perdu encore un peu, aux machines et aux tables, et j'ai senti que Greg se crispait. Mais le vent allait bien finir par tourner et j'étais sûr que nous aurions la possibilité de nous refaire tôt ou tard. Avec l'ivresse, les toasts des Bosniaques, et mon départ qui approchait, je me disais aussi que ça ne serait pas une catastrophe si je perdais tout. D'une certaine façon, je voyais l'Afrique comme un grand casino où j'allais avoir mon tour.

Mais Greg, lui, était de plus en plus sombre. Après un énième revers, il a fini par dire qu'il fallait s'arrêter, sans quoi nous n'aurions plus assez d'argent. J'ai avalé ma tequila en riant : « Assez d'argent pour quoi ? » Il m'a pris le bras et en moins de cinq minutes nous nous sommes retrouvés dans une chambre d'hôtel un peu vieillotte avec deux filles en string et en soutien-gorge. La tête commençait à me tourner, et j'ai entendu Greg me demander ce que j'attendais. Je regardais ces deux pauvres filles avec leur dentelle de chez Carrefour et leurs petits bourrelets sur le ventre. Stéphanie finirait peut-être comme ça, pute ou strip-teaseuse, si elle restait coincée ici. C'est tout ce que je me suis dit, je n'avais même pas envie d'elles. J'ai senti la main de Greg qui me poussait dans le dos, puis tout est devenu noir, chaud et humide.

Je crois bien que j'ai eu la gueule de bois jusqu'à l'aéroport, quatre ou cinq jours plus tard. Greg m'a accompagné et nous nous sommes dit au revoir devant le contrôle des passeports. Je l'ai trouvé ému. Il a dit quelque chose qui m'est resté en mémoire : « Envoie-moi des pierres ! » Il a crié ça plusieurs fois en s'éloignant, si fort que les gens se retournaient sur son passage. « Tout ce que tu voudras, mais envoie-moi des pierres qui coupent et qui brûlent. »

Je lui ai fait un dernier signe de la main et je suis parti pour l'Afrique sans plus rien à perdre, ni plus rien à aimer.

II

BAMAKO

1

Le problème, c'est que le ciel était toujours aussi blanc et les hommes plus petits que ce qu'on s'imaginait.

Fouad m'a fait mauvaise impression tout de suite. Pour tout dire, c'est moi qui me suis méfié de lui. Je m'attendais à un aventurier, un Mirko du désert, et c'est un marchand de tapis qui m'a accueilli à l'aéroport. Il m'a installé dans un pavillon sur la rive sud du Niger. Il m'a mis au travail dans ses cybercafés, et il m'a pris mon passeport. En me faisant visiter ses bureaux, dans le sous-sol du premier café qu'il avait ouvert en ville, Fouad a dit que ça serait plus prudent de mettre mes papiers au coffre. « La ville est calme. Mais c'est quand même l'Afrique. » J'ai trouvé que c'était une bonne idée. Il présentait ça comme la chose la plus naturelle du monde, et ça m'ennuyait de dire non à mon employeur après tout ce qu'il avait fait pour moi. Ce passeport, en un sens, c'était un peu sa création : « Je le mets en lieu sûr. Tu n'auras qu'à me demander si tu en as besoin. »

Je n'aimais pas quand Fouad Spencer traitait ses gardes du corps maliens comme les derniers des boys. Je n'aimais pas non plus le sourire de menteur qu'il affichait dès que le fils d'un expatrié un peu important passait la porte d'une de ses boutiques. Fouad Spencer. Rien que ce nom – c'est ainsi qu'il se faisait appeler dans Bamako, quand il réservait une table au restaurant ou un parcours de golf : j'avais beaucoup de mal à imaginer que l'homme qui l'avait choisi pouvait être autre chose qu'un faux-jeton. Il avait les cheveux brillants et ramenés en arrière, des lunettes de soleil qu'il ne quittait jamais et une dent de lion au bout de son collier. Il n'avait pas d'âge : sa peau pouvait être lisse comme du papier à cigarette ou toute froissée comme un drap. Il parlait en agitant les mains et en vous touchant le bras ou l'épaule, comme tous les Libanais d'Évreux qui voulaient passer pour des Italiens.

Chaque fois que je m'asseyais dans sa Toyota noire et climatisée, je me demandais si tout cela était vrai, la dent de fauve et les autres accessoires. C'était difficile à dire, et puis mon point de vue n'était pas impartial. Quand j'avais neuf ou dix ans, mon père s'était battu avec deux Libanais qui avaient tenté de lui piquer son fourgon pendant qu'il déchargeait sur un marché. Mon père avait gardé le fourgon, mais les types avaient pris soin de bien l'arranger avant de décamper. Je le revoyais assis sur son trottoir, les chaussures délacées dans le caniveau, à cracher de l'amertume et du sang en quantités à peu près égales : « Regarde-moi ça », disait-il sans se soucier de savoir si je l'écoutais ou non. Je buvais ses paroles, parce qu'il avait tenu tête à deux hommes plus jeunes que lui, et parce que c'était mon père : « Ils n'ont même pas les couilles de dire qu'ils sont arabes. Les Libanais, je te jure, il n'y a rien de pire. » J'étais un peu gêné, bien sûr. Je sentais qu'il y avait quelque chose d'injuste dans la généralité. Mais ça n'avait pas d'importance : c'était la voix de mon père.

Le troisième jour, alors que je venais de terminer une installation sur le serveur, Fouad m'a invité dans l'arrière-cour en attendant que les mises à jour soient prêtes. Il m'a servi une eau minérale avec des glaçons et il m'a dit de m'asseoir. C'est là que j'ai vu, couché à l'ombre du mur, une sorte de labrador trapu au poil très ras. Fouad a claqué des doigts. Le chien s'est levé, oreilles dressées, et il est venu me renifler le pantalon, les chevilles et les mains. Je me tenais immobile, si immobile que j'avais l'impression de voir la glace fondre dans mon verre.

« C'est un bulldog du Pakistan, a dit Fouad en décapsulant une bière. Il ne ferait pas de mal à une mouche – s'il n'a rien contre la mouche. » Fouad, tout sourire, a claqué des doigts à nouveau, et le chien est venu à lui pour se faire câliner comme un gros chaton avant de repartir dans le frais. Le rire de Fouad m'a mis mal à l'aise, mais je préférais ça aux naseaux humides du chien sur mes doigts. « Je crois qu'il t'aime bien. C'est important : ces bêtes-là ne se trompent jamais sur les hommes. »

Je suis retourné devant mon ordinateur avec l'envie de monter dans le premier vol pour Paris, et j'ai pensé à mon passeport à l'intérieur du coffre. J'ai regardé le site d'Air France : il y avait un avion pour Charles-de-Gaulle, un vol de nuit. J'étais en train de rêvasser devant les tarifs de la classe affaires quand un orage a éclaté. La foudre est tombée tout près, à un ou deux pâtés de maisons. Une coupure de courant a mis tout le quartier KO. Les clients du cybercafé fixaient leur écran avec des yeux éteints, en attendant que la pluie s'arrête. Puis Fouad est rentré, la chemisette trempée, et il a annoncé à la cantonade que le groupe électrogène allait prendre le relais. « Essaie de redémarrer », a-t-il dit par-dessus mon épaule. J'ai rallumé le moniteur. L'image était gelée sur le vol AF 483 Bamako-Paris, cabine business. Fouad a froncé les sourcils et il m'a regardé avec une sorte de perplexité, comme s'il était étonné qu'un chien avec autant de flair que le sien ait pu se tromper à ce point sur le compte d'un garçon aussi mal dégrossi que moi.

Ma vie à Bamako était solitaire, faite de routines. Je me levais avec le soleil. Je sortais courir dans l'air encore frais et le jour déjà plein. Après une douche, je partais au cybercafé où on m'avait fixé rendez-vous la veille. Je faisais du bricolage sur les disques durs, des antivirus ou de la mise en réseau, et je n'avais pas l'occasion de me tourner les pouces. J'aimais cette simplicité, comme j'aimais l'enchaînement sans nuances du jour et de la nuit, l'absence d'aube et de crépuscule : il faisait nuit noire, puis il faisait jour; il faisait plein soleil, puis il faisait nuit. Je me disais qu'à la longue, ça devait aider à y voir beaucoup plus clair, à savoir ce dont on avait besoin sans se poser de questions inutiles. Au début, je me voyais bien vivre comme ça le restant de mes jours.

J'aimais la ville sans la connaître. Le rouge de sa terre m'avait parlé tout de suite, dès la descente de l'avion au-dessus du grand fleuve. Les odeurs me rendaient heureux, chaque matin au réveil, ce mélange de kérosène, de pluie et de citronnelle. Avec les cavalcades des motos et des mobylettes, les klaxons des taxis et des autobus, elles formaient une ambiance compacte qui me rappelait sur-le-champ où j'étais, quels que soient les endroits où m'avaient emporté mes rêves.

Je me réveillais, sans ouvrir les yeux, et je me disais : « BA-MA-KO ». J'entendais le râle rouillé du vieux compresseur sous ma fenêtre. Je sentais le voile de la moustiquaire contre mes chevilles et l'air humide qui se glissait dans la chambre toutes les nuits malgré la climatisation. Dans mon demi-sommeil, toutes ces sensations me remplissaient d'un bonheur sans tache, un vrai bonheur. J'étais bien. Mais dès que mes idées se faisaient un peu plus claires, que je reprenais pied sur le réel, je me rappelais la blancheur du ciel et tout me revenait alors d'un seul coup : Évreux, l'ennui et le vide que j'avais fuis, que j'avais cru fuir en partant, puis l'ennui et le vide qui m'attendaient ici, comme le mur attend le condamné.

Le ciel de Bamako était blanc; le désert était invisible. À certains moments de la journée, un vent chaud s'engouffrait sur les berges du fleuve, et on pouvait sentir le sable au-dessus de la ville, comme s'il était sur le point de tout ensevelir. Puis le vent retombait, l'eau redevenait calme, rien ne s'était passé. Je marchais dans les rues et je regardais les gens de Bamako s'affairer, derrière leurs marchandises, dans les embouteillages, devant chez eux en balayant sans fin cette poussière rouge qui transpirait de la terre. Ils s'agitaient, mais je voyais bien que tous étaient comme moi, qu'ils attendaient que quelque chose arrive. Il finissait toujours par y avoir un moment où ils fatiguaient.

Alors, ils s'asseyaient sur une pierre ou sous un arbre, là où les cueillait le souvenir qu'il ne se passerait jamais rien. Je voyais dans leurs yeux aussi blancs que le ciel comme une vague envie de s'absenter, de laisser l'ennui faire son œuvre sans en être les témoins forcés. Ils restaient là, pourtant, à relire le même journal jusque tard dans la nuit, et ils attendaient. C'était la dernière chose que m'avait dite Mirko, en tout cas la dernière dont je me souvenais : « Tu sais à quoi tu reconnais l'Afrique, petit ? » J'étais ivre et je n'en avais aucune idée. « En Afrique, les gens sont là, et ils ne font rien d'autre que patienter. »

Les premiers temps, je pensais qu'on me regarderait comme une curiosité, parce que j'étais le seul Blanc à marcher dans la rue. C'était une idée fausse. Les gens ne me trouvaient pas différent d'eux, dans le sens où ma vie avait aussi peu de conséquences que la leur sur la marche du monde. Je me répétais souvent la phrase d'Ali, et je me disais que la couleur non plus n'avait rien à voir là-dedans. J'étais blanc, eux noirs, et nous étions tous aussi invisibles les uns que les autres. Il y en avait toujours quelques-uns pour s'étonner de la forme de mon oreille, mais la majorité de ceux que je croisais ne faisait pas attention à moi.

Un après-midi plus chaud que les autres, la circulation était arrêtée sur le pont à la sortie du centre-ville. Je m'en voulais d'avoir pris un taxi. Un gosse est apparu côté droit, à hauteur de mon chauffeur. C'était un de ces petits mendiants qui vivotent en vendant tout et n'importe quoi aux feux rouges. Il s'est rabattu sur moi quand le chauffeur l'a poussé à déguerpir en l'aspergeant de liquide nettoyant avec ses essuie-glaces. Il avait un avant-bras couvert de montres en toc et une ribambelle de casquettes américaines fabriquées en Chine dans l'autre main. Entre le menton et le torse, il tenait le numéro du jour de *L'Essor*, le quotidien malien.

Pas très fier de moi, j'ai appliqué la recommandation de Fouad : « Ne leur donne jamais rien, pas un franc CFA, sinon ils reviendront à la charge chaque fois qu'ils te croiseront. Ne les regarde pas, ne leur parle pas. Un geste de la main suffit. Si tu tombes sur un entêté, tu le regardes droit dans les yeux et tu lèves la main, comme si tu allais le frapper. En général, ils comprennent avant. Tu rends service à tout le monde en faisant comme ça. C'est triste, mais qu'est-ce qu'on peut faire ? On ne va quand même pas donner l'aumône à tous les malheureux de cette ville. »

Je n'ai pas regardé, j'ai fait le geste de la main, mais j'ai senti deux yeux attentifs et curieux encore posés sur moi. Le taxi n'avançait toujours pas. Je ne pouvais pas frapper ce pauvre gosse, même sans y croire. C'est le chauffeur qui m'a tiré d'affaire en l'apercevant dans le rétroviseur : « Eh ! Mais c'est quoi, ça ? Vraiment ! Idiot ! Veux-tu filer, petit rien ! » – plus quelques politesses en bambara histoire de faire l'appoint. Puis il s'est excusé pour cette racaille qui gangrenait sa ville. Comme tous les chauffeurs de taxi de Bamako, il trouvait que les choses allaient mieux avant. Il était sage ne pas leur demander à quel âge d'or ils faisaient allusion.

Le trafic est devenu un peu plus fluide et nous avons fini par repartir. Au bout du pont, en regardant vers l'ouest pour mesurer combien de minutes de soleil il restait à cette journée, j'ai vu le gosse à terre, sur le trottoir contre la rambarde de sécurité. Une bande d'adolescents à peine plus vieux que lui était en train de le dépouiller de son stock de contrefaçons. Ils lui donnaient des coups de pied, en criant et en rigolant. J'ai dit au chauffeur d'arrêter le taxi. Le groupe s'est dispersé en me voyant descendre, avant que j'aie eu le temps de voir dans quel état ils avaient mis le gamin. Je lui ai demandé son nom, une bonne dizaine de fois, mais il est resté sans rien dire.

Le gamin avait des égratignures sur les coudes et des bleus sur les bras. J'ai décidé de le déposer à la clinique de ma rue, plus ou moins contre son gré. Le chauffeur n'était pas content. Le visage du gamin aussi portait des marques, plus anciennes. J'ai croisé le regard du chauffeur dans le rétroviseur et il a haussé les épaules : « C'est des scarifications, ça. Sa famille a fait le nécessaire et voilà comment il les remercie. » Je n'ai pas compris pourquoi le gamin aurait dû être reconnaissant, mais cette fois non plus je n'ai rien dit. Aucun de nous trois n'a parlé pendant le reste du trajet. À la clinique, le gamin s'est assis dans la salle d'attente. Il n'avait pas plus de quinze ans. Une infirmière est venue, et ils ont disparu dans un couloir. On ne m'a rien demandé, ni rien fait signer. Je suis rentré chez moi en songeant que j'avais encore beaucoup à apprendre au sujet de l'Afrique et de la vie en général.

Le lendemain matin, on a frappé à ma fenêtre. Le gamin du pont était là, pieds nus, dans le jardin. J'ai soulevé la moustiquaire et je lui ai fait signe de faire le tour par la cuisine. J'ai fini la bouteille d'eau au pied du lit, arrêté la clim, puis j'ai enfilé mon short et mes baskets. Le bruit et la chaleur de la ville sont entrés dans la pièce en même temps que le gamin. Il m'a paru plus vieux que la première fois, sans âge, comme tous ces enfants des rues. L'état civil n'avait pas dû être la première pensée de sa mère en le mettant au monde. Il avait l'air de savoir des choses, mais il était toujours aussi silencieux et buté.

« Qu'est-ce que tu veux ? » Il a montré mes baskets du doigt. « Des chaussures ?, ai-je dit en regardant ses pieds. Tu as besoin de chaussures ? » Il a fait non de la tête et a marmonné quelque chose dans sa langue. « Je ne comprends pas. Qu'est-ce que tu veux ? » J'ai attrapé mes clés, et nous sommes sortis. Il est parti en courant. Au premier carrefour, il s'est retourné pour voir si je le suivais. J'ai compris qu'il me mettait au défi de le rattraper et je me suis mis à courir moi aussi.

Nous avons couru longtemps dans l'air gras et pollué, d'abord le long du fleuve et de son eau de métal, avant de bifurquer dans un quartier résidentiel. Les arbres étaient hauts et bien taillés, les jardins entretenus, les maisons presque brillantes dans la lumière humide du matin. Des notes de piano s'échappaient d'une fenêtre qu'on avait oublié de fermer. Il commençait à faire très chaud, je ne sentais plus que mon souffle court et le tissu de mon T-shirt mouillé.

Pour penser à autre chose, j'ai essayé d'imaginer la vie des expatriés derrière ces murs, la sécurité, l'absence d'angoisse et d'inquiétudes. Ça n'avait rien de désagréable, en un sens. Mais je trouvais ça injuste de suer dans la fournaise pendant qu'une famille de Blancs plus chanceux que moi prenait son petit déjeuner en écoutant de la musique classique, avant d'emmener les enfants au lycée français. Le temps d'une seconde, j'ai eu envie de voir tous ces beaux pavillons brûler dans le même enfer que moi. J'ai maudit leurs occupants tous autant qu'ils étaient, avec leur belle salade de fruits préparée par un cuisinier au sourire triste et servile, à déguster bien fraîche au bord de la piscine. C'était ce qu'il y avait d'avantageux à Évreux : au moins, on ne risquait pas d'envier la vie de ses voisins.

Le gamin a accéléré, nous entraînant plus loin encore de la maison, et j'ai commencé à me dire que je n'aurais pas les jambes pour rentrer. Nous traversions maintenant une zone de terrains vagues entre deux quartiers. Le ciel était immense et blanc au-dessus de nous, gonflé d'une lumière qui me faisait mal aux yeux. J'ai essuyé la sueur qui roulait à grosses gouttes sur mon front mais le sel a continué à me piquer. Mes jambes aussi étaient douloureuses. Au sommet d'une petite butte, j'ai vu le gamin qui s'arrêtait net. Il s'est mis à chercher quelque chose dans l'herbe. En le rejoignant, j'ai vu qu'il ramassait des cailloux. J'ai enlevé mon T-shirt pour l'essorer et j'ai regardé au-dessus des arbres à la recherche d'un repère dans la ville.

Six chiens errants approchaient en trottinant, six de ces bâtards qui ne marchent pas droit et qui n'ont que la peau sur les os. Ils remontaient l'autre côté de la butte avec la faim dans leurs yeux. Quand ils se sont mis à courir, j'ai eu très peur et j'ai regardé le gamin. Il était immobile, une poignée de cailloux dans la main gauche, un seul dans la main droite. Le premier a touché le chef de la meute à la poitrine, et celui-ci s'est vautré dans la mauvaise herbe avant de faire demi-tour en boitillant. Les autres chiens l'ont imité. Le gamin les a quand même bombardés avec les munitions qui lui restaient, puis il s'est frotté les mains d'un air satisfait.

J'ai regardé l'heure sur mon portable : « Il faut que je fasse demi-tour, chef. » Comme si de rien n'était, le gamin a posé la main droite sur son cœur et il a dit qu'il s'appelait Malick. Sa voix était douce et un peu éraillée. Puis il est reparti à grandes enjambées dans l'autre direction, très amusé de ce moment de faiblesse que je n'avais pas su lui cacher. J'ai été bien obligé de lui emboîter le pas : j'entendais les chiens aboyer derrière moi, et je n'aurais jamais su retrouver mon chemin tout seul.

Je suis arrivé au cybercafé à huit heures, et j'ai passé une matinée tranquille parce que Fouad est resté tout le temps dans les bureaux du sous-sol avec ses invités, des hommes d'affaires du Golfe qui avaient débarqué la veille et projetaient de passer la semaine ici. Une excursion dans le Nord était prévue, pour leur montrer Tombouctou et le désert. La seule fois où Fouad est remonté, pour chercher sa boîte de cigares cubains, j'en ai profité pour lui dire que j'aimerais bien les accompagner. Je n'étais pas encore sorti de la ville, et c'était l'occasion. Fouad m'a regardé de travers, comme si j'avais oublié ma place, à qui je parlais, puis il a dit qu'on verrait. Je ne savais pas trop ce qu'il y avait à voir, mais j'ai ajouté que ça me ferait vraiment plaisir. Il est redescendu au sous-sol en haussant les épaules, sa boîte de cigares sous le bras, et je me suis fait la réflexion que ces hommes d'affaires devaient avoir une plus haute idée des Libanais que mon père et que moi.

J'ai ouvert ma messagerie, sans arriver à détacher mon esprit des Arabes dans le sous-sol. Il y avait quelque chose de pressé, d'intense, dans leur manière de marcher et de regarder autour d'eux. Les autres clients de Fouad, chinois, maliens ou français, parlaient de la pluie et du beau temps, vivaient au rythme de la ville. Ces Arabes, eux, donnaient l'impression qu'ils n'avaient de temps à perdre en vous adressant la parole. J'aurais pu rentrer chez moi ou passer un bon moment avec une fille de la rue Princesse, mais j'avais envie de les voir de plus près.

En France, seul Mirko connaissait ma nouvelle adresse mail. J'avais arrêté d'utiliser mon compte personnel le jour où il m'avait dit de jeter mon portable. Il m'avait écrit deux ou trois fois, au début, pour savoir comment j'allais. Il m'appelait « fils », et il espérait que je ne souffrais pas trop de la chaleur. Il blaguait en disant que le gris du plateau ne devait pas trop me manquer. J'aimais bien ces messages, parce que je me sentais sûr de moi quand j'entendais la voix de Mirko dans ma tête. En retour, je lui avais raconté ma vie de façon assez détaillée, comme j'aurais pu le faire à mon père. Je ne voulais pas que Mirko me trouve ingrat, enfant gâté, alors j'avais laissé de côté l'ennui qui commençait à m'étouffer ici aussi, la succession monotone de ces journées qui n'en faisaient plus qu'une seule. Mirko ne m'avait pas répondu depuis, mais ça faisait presque un mois que j'étais sans nouvelles. J'avais relu plusieurs fois mon dernier message à la recherche des mots qui auraient pu l'agacer. Même en lisant entre les lignes, je n'avais rien trouvé, alors je m'étais dit que Mirko devait être très occupé avec ses opérations d'import-export ou qu'il était peut-être parti en Bosnie voir son fils grandir de loin.

J'ai effacé tous les autres messages, des spams. D'une certaine manière, c'était excitant de ne plus exister que pour des machines, des expéditeurs électroniques qui n'avaient aucune idée de la personne à qui ils s'adressaient.

Il y avait pourtant des jours où cet anonymat me pesait. Je me demandais ce que faisaient les gens d'Évreux. Je me demandais s'ils s'inquiétaient pour moi, ou s'ils m'avaient déjà oublié. J'étais souvent tenté de consulter mon ancienne adresse pour voir qui m'avait écrit. Je m'abstenais, non par peur que les deux flics chargés de l'affaire Bianconi retrouvent ainsi ma trace, mais parce qu'il était probable que je ne trouverais aucun message.

J'ai regardé quel temps il faisait à Évreux et les résultats de la Ligue des champions. J'ai passé une vingtaine de minutes sur des sites pornos, où les filles avaient au fond des yeux une fausse extase et un vrai ennui que je connaissais bien. Je commençais à me dire que j'allais rentrer chez moi quand il y a eu une nouvelle coupure de courant. Fouad m'a appelé depuis le sous-sol pour me dire d'aller mettre le générateur en route. « Et ensuite, a-t-il ajouté, tu descends nous voir. »

Les cigares étaient éteints dans des cendriers, mais l'odeur m'a fait mal au cœur dès que je suis entré. La climatisation tournait à plein régime et il faisait froid. Les trois Arabes étaient assis sur les canapés en cuir, Fouad à son bureau. Ils m'ont regardé en silence m'avancer au milieu de la pièce. J'ai demandé s'il y avait quelque chose que je pouvais faire pour eux.

« Ça dépend de toi », m'a dit celui qui avait un visage anguleux, comme taillé au silex. Il parlait français sans accent. Les deux autres avaient une silhouette et des traits plus ronds, comme Fouad. « Qu'est-ce que tu penses de l'islam ? » J'ai répondu que je n'en pensais pas grand-chose et que je ne m'étais jamais intéressé beaucoup à Dieu, quel que soit son nom. « Donc, si on se résume, tu n'as pas d'a priori. Est-ce que c'est juste de présenter les choses de cette façon ? » Il parlait d'une manière très posée, comme un professeur, et avec beaucoup de considération. J'ai dit que c'était tout à fait ça, ce qui l'a fait sourire. « Moi, j'ai passé des années à réfléchir à ce sujet. Je pense que tu ne m'en voudras pas de partager ces réflexions avec toi. »

Il était si courtois qu'il donnait l'impression d'attendre mon approbation avant de prononcer chacune de ses phrases. Moi, je me sentais important qu'un homme comme lui puisse consacrer du temps à m'expliquer quelque chose. « L'islam, c'est la seule religion qui protège ceux qui souffrent, qui leur donne un but dans la vie. » Il a répété en découpant bien les mots : « La seule. Les autres religions sont les armes de ceux qui font souffrir. » J'ai hoché la tête, parce que ça me rappelait ce qu'Ali m'avait dit, et je me suis dit qu'il devait bien y avoir du vrai là-dedans.

L'Arabe au visage taillé au silex a échangé quelques mots à voix basse avec les deux autres, pendant que Fouad me regardait avec des yeux sévères. « Je serais honoré de t'accompagner sur le chemin du Seigneur, a repris l'Arabe. Est-ce que tu veux me suivre sur ce chemin ? » La question m'a pris de court et je n'ai pas trouvé mieux que de lui demander s'il était homme d'affaires, pour gagner du temps. « Un homme d'affaires très pieux », a-t-il répondu.

J'étais bien ennuyé. D'un côté, je n'aimais pas trop cette idée de suivre qui que ce soit sur tel ou tel chemin. De l'autre, je ne voyais pas comment lui dire que ça ne m'intéressait pas sans le vexer, lui qui était attentionné et respectueux. J'ai fini par dire que ça ne me dérangerait pas sur le principe, mais que j'avais du mal à imaginer tout ce que cette décision allait changer dans mon quotidien. Il m'a regardé avec bienveillance. « Tu ne dois pas te focaliser sur les contraintes et les devoirs. C'est la liberté du croyant qui te guidera. Comme elle guide tous ceux qui souffrent parce qu'ils sont musulmans. »

Toutes les choses que j'avais entendues au sujet de l'islam, je voulais savoir si elles étaient vraies. Mais je ne savais pas par où commencer. J'ai réfléchi un moment sans qu'aucune question me vienne à l'esprit. Ma tête était vide. J'ai regardé les Arabes l'un après l'autre, puis j'ai promis que j'allais réfléchir à leur proposition. J'ai dit ça un peu pour leur faire plaisir, et surtout pour qu'ils me fichent la paix. Les gens sont toujours plus faciles à vivre quand ils ont l'impression de vous avoir convaincu.

2

Seul Allah est digne d'être loué et Mahomet est son prophète.

Les jours ont passé et je me suis habitué à ce baratin. Si vous vous répétez n'importe quoi assez longtemps, tôt ou tard vous finissez par y croire. C'est le cours naturel des choses. Les publicités fonctionnent de cette façon, la musique des mots vous donne envie de croire qu'ils sont vrais. Le Coran, je le lisais, je voyais bien qu'on me racontait des histoires, et en même temps je m'habituais peu à peu à ces phrases qui vous présentent le monde sous un jour simple et bien ordonné. Pas de place pour la complication ou l'entre-deux : soit il en allait ainsi, soit il en allait autrement. J'avais gaspillé beaucoup de temps jusqu'ici à comprendre, à soupeser, alors qu'il suffit de dire les choses pour qu'elles prennent de l'épaisseur.

J'apprenais bien mes leçons. Tout le monde avait l'air content de moi, y compris Fouad, la plupart du temps, parce que ses ordinateurs fonctionnaient et que ses clients consommaient plus de minutes au cybercafé. L'excursion dans le désert avait été reportée à cause d'une tempête de sable et deux des Arabes étaient repartis à Dubaï.

L'homme au visage taillé au silex était resté à Bamako. Je l'appelais désormais le Professeur, parce qu'il parlait toujours avec ce même air cordial et que c'est lui qui m'apprenait à lire le Livre. J'en avais trouvé une version française à la librairie du centre-ville. Nous nous installions sur les chaises en plastique du jardin en fin d'après-midi, une fois que j'avais terminé la vérification des mises à jour. C'était le moment de la journée où la chaleur retombait un peu. Malgré l'humidité et les moustiques, je trouvais ça agréable de quitter l'air sec du climatiseur pour sentir les odeurs de grillades et de braises qui commençaient à monter dans le quartier, par-dessus les cocotiers.

En plus de nos lectures et de l'apprentissage des Cinq Piliers, le Professeur m'enseignait la *taqiya*, l'art de la poudre aux yeux : « C'est une ruse divine et une stratégie de guerre. Tu vis comme ton ennemi pour qu'il te croie son ami. » Je lui avais demandé si le fait qu'il me cachait son nom faisait partie de cette technique. « Non, avait-il répondu. Tu n'es pas mon ennemi. » Il avait ajouté que ce n'était pas lui qui me cachait son nom, mais moi qui ne lui avais jamais posé la question. C'était vrai, bien sûr, mais parce que je trouvais poli d'attendre qu'il se présente.

En l'écoutant me parler de la dissimulation, je me demandais parfois si à force de se cacher on ne finissait pas par ne plus savoir quand et avec qui on faisait semblant. Les jours où il s'absentait, par exemple, sans prévenir ni me dire pour combien de temps, il m'arrivait de penser que je faisais semblant d'être musulman et de suivre les enseignements du prophète. Mais si j'essayais de me rappeler dans quel but je jouais cette comédie, je perdais tôt ou tard le fil et j'en arrivais toujours à la conclusion qu'il valait mieux y croire, pour ne pas oublier tout à fait qui j'étais.

Malick venait tous les matins après la prière, entre six heures et six heures et demie, et nous partions pour quarante minutes de footing dans les rues de Daoudabougou. Même depuis que je m'ennuyais au travail et même si Évreux me manquait, je me sentais chez moi en sa compagnie. Malick ne perdait pas de temps en palabres. Il partait devant, puis je prenais le relais, chacun essayant d'essouffler l'autre en mettant les gaz tout d'un coup. La vie devenait simple. Je l'appelais Bamako, parce qu'il connaissait les deux rives de la ville comme sa poche. Je crois bien que j'aurais pu aimer la vie à Évreux si j'avais eu un ami comme lui là-bas.

C'était bizarre, d'ailleurs : une amitié sans mots. Mais peut-être que l'essentiel était là. Malick était mon ami parce qu'on n'avait pas besoin de parler, d'expliquer, de se justifier. Je ne savais rien de lui, et il ne savait rien de moi.

C'était une bonne amitié. Bien sûr, je me sentais responsable, et il y avait un peu de cette griserie qui naît quand on a quelqu'un à protéger. Je le savais, et en même temps je n'en étais pas au point de croire que ce gosse avait besoin de moi. Je voyais bien qu'il se débrouillait tout seul. Il était meilleur coureur, avait plus d'endurance. C'était plutôt moi, les jours où il arrivait en retard, qui me faisais du souci en imaginant ce que je deviendrais si jamais il décidait de ne plus revenir.

Je pensais au futur quand je suis entré au Radisson, l'hôtel préféré des expatriés et des hommes d'affaires africains. La matinée était déjà bien avancée. Il y avait plus de bruit que d'habitude autour de la piscine, et Romain avait l'air d'avoir mal dormi. Il m'attendait au bar. Ses cheveux ébouriffés, sa chemise ouverte et ses Ray-Ban lui donnaient un air de rockstar échouée sous les tropiques.

Romain travaillait pour la Croix-Rouge. Il m'avait abordé dans la salle d'embarquement à Roissy, nous avions un peu bavardé, puis nous avions attendu nos bagages ensemble à l'arrivée. Il devait avoir trente-cinq ans, portait une veste que je trouvais trop foncée pour ce climat et faisait souvent l'aller-retour entre Paris et Bamako. Ce jour-là, en nous quittant à l'aéroport, il m'avait proposé de jouer au tennis. J'avais répondu que je ne savais pas et que je préférais le foot. « Tout le monde sait jouer au tennis », s'était-il étonné.

Ça m'avait fait rire : « Pas d'où je viens. » Il ne voulait pas croire que j'étais d'Évreux. Apparemment, sa mère y avait passé plusieurs années en pension et elle parlait encore de la ville avec une sainte horreur. « Ça n'est pas sorcier le tennis, tu verras. Je t'apprendrai. » Il avait tellement insisté que je m'étais demandé si tout cela n'était pas un prétexte pour me faire des avances.

Quand je l'avais revu, à un cocktail du palais de la culture où Fouad m'avait envoyé à sa place, Romain était accompagné de deux Maliennes, très belles et aux poignets très fins. Elles avaient l'air de bien le connaître. Au final, je m'étais habitué à ses manières un peu particulières, et nous étions devenus copains. Romain avait des tas d'expressions que je trouvais drôles. Par exemple, il disait « Pas dégueulasse, mec » dès que quelque chose l'impressionnait ou lui plaisait. Il me rappelait Greg. Romain et lui partageaient une façon un peu vulgaire de vous travailler au corps jusqu'à ce que vous disiez oui, souvent plus par lassitude qu'avec enthousiasme. Je le trouvais un peu envahissant, comme Greg, mais il était gentil avec moi et il payait toujours le premier verre. J'aimais bien aussi ses histoires de désert, même s'il m'arrivait de me demander si toutes étaient authentiques.

« Alors comme ça tu n'aimes plus la bière ? »

J'ai pensé à la *taqiya*, mais je me suis dit en même temps que Romain n'était pas mon ennemi.

Ça me mettait un peu mal à l'aise d'avoir à lui mentir. « Je ne me sens pas très bien ces jours-ci », ai-je répondu.

Romain regardait le groupe de grandes blondes à la peau pâle qui étaient en train de s'installer sur les transats. « Ils ont toutes sortes de marques, et ta bouteille arrive toujours fraîche, a-t-il repris sans quitter les filles des yeux. Je ne connais pas beaucoup de bars dans cette ville qui peuvent en dire autant. Rien à voir avec Kinshasa ou Lagos, évidemment. Mais il y a moyen de se faire plaisir. Tu es sûr que tu ne veux rien ? » J'ai répété que j'étais fatigué. Romain a avalé sa vodka, cul sec, et il a baissé ses lunettes de soleil pour me regarder. « Tu nous fais peut-être une crise de palu. » Moi qui faisais attention à bien prendre ma nivaquine ? « Qu'est-ce qui t'arrive, alors ? a-t-il demandé en faisant signe au serveur de lui remettre ça. C'est un peu tôt et tu es un peu jeune pour le syndrome de Livingstone. »

J'avais déjà entendu ce nom, mais je ne savais pas à qui il appartenait. « C'est un explorateur anglais qui s'est perdu au fin fond du Congo en cherchant les sources du Nil. Il disait que la civilisation lui manquait quand il était chez les sauvages, et que les sauvages lui manquaient quand il était de retour dans la civilisation. Tu vois le genre d'animal : jamais content, en somme. Il est mort de dysenterie. » Romain parlait plus vite maintenant, presque avec précipitation, et je me suis demandé combien de vodkas il avait descendues avant que j'arrive. Il s'est tu quelques secondes, comme pour rendre hommage à la mémoire de ce pauvre Livingstone. Puis il s'est écrié : « Putain de sauvages ! » et il a éclaté de rire sans prêter attention aux clients et aux serveurs qui le dévisageaient.

J'étais embarrassé. Le Professeur conseillait de ne jamais attirer l'attention sur moi, de toujours me fondre dans le décor. Alors, pour changer de sujet, j'ai dit à Romain que je dormais mal à cause de la chaleur et qu'il faudrait que je coure moins, mais il était à nouveau absorbé par le spectacle des grandes blondes au bord de la piscine.

Elles se disputaient un tube de crème solaire en riant. « Tu sais d'où elles viennent ? » a demandé Romain. J'ai répondu qu'elles étaient sûrement allemandes, à cause de leur taille, et aussi de la blancheur de leur peau. Romain a souri : « Des Anglaises, mon pote, comme Livingstone. Et tu sais pourquoi elles sont là ? » Il était tout content à l'idée de me l'apprendre. « La BBC, chef. Elles sont venues voir la BBC. Peut-être que Livingstone aussi, d'ailleurs. Il faudra que je me renseigne. La BBC avec les sources du Nil comme prétexte, ça serait joli-joli. »

J'ai cru qu'il allait encore éclater de rire, mais au lieu de ça il a vidé son verre, puis il s'est tassé dans son siège en fronçant les sourcils. Il ne ressemblait plus du tout à une rockstar, juste à un petit garçon mécontent. Je ne comprenais pas :

« Pourquoi ces Anglaises ont besoin de venir au Mali pour regarder la BBC ? » Son front s'est éclairci : « Pas regarder, voir. Ils ne parlent pas du tout anglais à Évreux ? La BBC, pour ces filles, ça veut dire *Big Black Cock.* Le gros braquemart des Noirs, si tu préfères. Il y a des tas de tour-opérateurs spécialisés là-dedans. »

Il s'est penché vers moi. J'ai senti la brûlure de la vodka dans son souffle. « Tu vois les serveurs qui jouent les vierges effarouchées quand je parle un peu fort ? Ils montent dans leurs chambres à la fermeture, je peux te dire que ça envoie du bois. C'est une des raisons pour lesquelles je ne descends plus dans cet hôtel. Tu as le malheur de te retrouver au même étage, et tu ne dors pas de la nuit. »

Il s'est levé en enlevant son T-shirt et il a posé ses Ray-Ban sur la table. Puis, dans un grand sourire, il a annoncé qu'il allait piquer une tête pour tenter sa chance pendant que les chevaux étaient encore à l'écurie.

Je suis rentré à pied à l'heure la plus blanche de la journée. Malgré la chaleur, traverser la ville m'a fait du bien. Je commençais à avoir de bons repères. En tournant dans ma rue, j'ai aperçu le 4×4 blanc du Professeur garé devant chez moi. Son chauffeur fumait une cigarette à la grille. C'était l'un de ces anciens lutteurs, au physique encore imposant mais un peu ramolli, que les sociétés locales de sécurité recrutaient à tour de bras pour la protection des étrangers.

« On dit quoi, petit Blanc ? » J'ai haussé les épaules en répondant qu'il n'y avait rien de neuf. Ça l'a fait sourire : « La vie suit son cours, alors. » C'était exactement ça. La vie suivait son cours, et je savais retrouver mon chemin dans Bamako. Il a poussé un petit cri d'admiration, beaucoup trop aigu pour son physique, et il a fait claquer sa langue contre son palais. « Tu te laisses vivre, tu as un GPS africain dans les pieds... Attention ! Ce n'est pas impossible que tu sois en train de devenir malien. » J'ai répondu que ça ne me dérangerait pas, si c'était le cas. « Mais tu sais qu'ici on n'ouvre pas la porte à n'importe qui ? C'est très sélectif, même ! On n'a pas envie que tous les Français au chômage s'imaginent qu'ils peuvent débarquer et profiter du système. » J'ai dit que jusqu'à présent, me semblait-il, c'était plutôt le système qui avait profité de moi. « Où est le Professeur ? » Il m'a montré la maison d'un signe de la tête. « La porte n'était pas fermée à clé, alors il est entré. Les gens du Golfe détestent la chaleur humide. J'espère que c'est bien climatisé, sinon tu vas le trouver mal torqué. »

Le Professeur n'était pas à l'intérieur. Il faisait les cent pas dans le jardin, en étudiant les plantes que j'avais laissées pousser autour de la pelouse. « *As salam aleykoum* », a-t-il dit en me voyant. « *Aleykoum salam.* » Je me suis excusé de n'avoir pas eu le temps de tailler les plantes, j'allais bientôt m'en occuper. Il m'a fait signe de le suivre dans la maison : « Laissons le jardin à celui qui connaît les fleurs, et les ordinateurs à celui qui connaît l'informatique. »

Quand je lui ai proposé de préparer un thé à la menthe, avec la recette d'Ali, il m'a remercié en s'excusant à son tour d'être le seul Arabe à ne pas aimer le thé. « Par contre, je prendrais bien un verre d'eau. Ne te dérange pas. » Il est parti dans la cuisine, et il est revenu avec un verre dans chaque main. Nous nous sommes assis dans le salon. Il a avalé une longue gorgée, puis il a dit : « Il y a une, ou plutôt deux choses dont je voudrais te parler. »

Nous étions l'un en face de l'autre, lui sur le sofa, moi sur la table basse. J'avais très soif, alors j'ai bu la moitié de mon verre. « La première, a-t-il repris, c'est ça. » Il a sorti une clé USB de sa poche intérieure et l'a posée sur la table à côté de ma cuisse. « Si tu es d'accord, je crois que ces documents seront plus en sécurité ici qu'avec moi. Est-ce que ça te pose un problème de mettre cette clé en lieu sûr ? » Moi, j'étais très content de lui rendre service, et j'ai demandé ce qu'il y avait sur la clé. Il a souri et il a dit qu'il fallait lui faire confiance. « Ce sont des documents de la plus haute importance. Plusieurs frères sont morts pour nous les procurer. » J'étais gêné d'avoir été indiscret. Le Professeur a eu un sourire doux et il m'a dit de ne pas m'en faire, parce que j'étais encore très jeune et que j'avais beaucoup à apprendre.

Comme je commençais à me sentir déshydraté, j'ai pensé que j'avais peut-être attrapé une insolation en marchant si longtemps au soleil. J'ai fini mon verre. « Tout va bien ? » s'est inquiété le Professeur. Sa main était sur mon genou. Quelque chose allait de travers, mais je ne voulais pas qu'il croie que je m'imaginais des choses. Et puis cette main si légère n'était rien à côté de ce qui se passait dans mon corps. Je transpirais, le peu de lumière qui rentrait par la fenêtre me brûlait les yeux, et il y avait comme un vide de plus en plus béant à la place de mon estomac. Mon cœur battait très vite, mes joues étaient en feu : j'avais l'impression que tout mon sang était remonté à la tête.

Je me suis glissé sur le sofa, de peur de m'évanouir, et j'ai demandé au Professeur d'aller me chercher une grande bouteille d'eau dans le frigo. Les hélices du climatiseur tournaient à l'intérieur de mon crâne. Entre deux frissons, j'ai vu le Professeur qui revenait vers moi avec un grand verre d'eau, mais moins grand que son sourire.

J'ai bu un peu sans que ça me soulage, puis je lui ai demandé : « Et la deuxième ? » Il avait remis sa main sur ma cuisse et il ne m'entendait pas. Alors j'ai répété : « La deuxième chose que vous vouliez me demander, Professeur ? » Il m'a regardé un instant et il a approché son visage du mien ; il avait toujours le même sourire aux lèvres, calme et patient. Quand il a ouvert la bouche, j'ai vu qu'il avait de nombreuses couronnes en or, et quelque chose de familier est passé dans l'air. Il a dit : « Si tu ne résistes pas, je suis sûr que tu vas aimer ça. Il faut que tu te laisses aller. » Puis il a commencé à frotter entre mes jambes. J'ai eu mal et j'ai eu peur, parce que l'odeur dans sa bouche était celle de Nono. J'ai fermé les yeux en espérant la faire disparaître, et tout est devenu blanc.

3

Il y a eu des voix dehors, ou peut-être une seule, quelqu'un qui parlait en bambara. On a frappé à la porte. J'ai cru voir Malick entrer. Je devais être en train de rêver. Ma tête était lourde, j'avais sommeil. On cherchait à me réveiller, mais je voulais dormir, tomber comme une pierre au fond de l'eau noire. C'était très fatigant. J'avais beau m'abandonner, la migraine me maintenait dans un état juste assez conscient pour sentir tout ce qui me faisait mal. J'avais honte. Je crois bien que j'aurais tout donné du monde et de la vie pour ne plus rien sentir.

C'est la soif qui m'a fait revenir à moi. Ma gorge et ma poitrine me brûlaient comme si on y avait enfoncé des kilos de sable, comme si mille mains en papier de verre s'agitaient pour me faire saigner de l'intérieur. J'ai senti quelque chose de frais sur mes lèvres. En ouvrant les yeux, j'ai vu le visage de Malick. Il tenait un verre que j'étais en train de boire sans m'en rendre compte. Je lui en ai demandé un autre, puis un autre. J'ai fini par comprendre que je confondais peut-être la soif avec autre chose, quelque chose qui flottait autour de moi, sur mon T-shirt et les coussins du canapé. Je pouvais mourir de soif, mais cette chose-là aussi était mortelle.

J'ai vu la clé USB sur la table basse et j'ai pensé au Professeur, au Radisson avec Romain, aux Anglaises en bikini. La dernière image qui me restait, c'était le front large et incompréhensible de Nono. Il s'était penché sur moi, avait laissé son odeur dans le salon, puis il était parti. J'étais terrifié à l'idée de ce qu'il aurait pu me faire sans que je lui oppose aucune résistance.

Malick m'a accompagné jusqu'à la salle de bains. Il a tiré la porte sans la fermer, et je l'ai entendu qui restait derrière, au cas où. La façon dont je marchais ne devait pas lui inspirer confiance. Je me suis appuyé sur le lavabo et j'ai bu encore, je me moquais de boire une eau qui n'était pas filtrée. En fermant le robinet, j'ai entendu le moteur de la climatisation sous la fenêtre, le bruit rouillé des hélices. Je me suis regardé dans le miroir. Il y avait des marques rouges à la base de mon cou, sur ma clavicule. Mon T-shirt était froissé. L'odeur de Nono m'a donné envie de vomir et j'ai jeté le T-shirt à la poubelle.

Je suis resté longtemps sous la douche froide, en pensant à Stéphanie. C'était comme si on m'avait volé le peu qu'il me restait. Je savais que Malick ne pouvait pas m'entendre, alors j'ai laissé les sanglots éclater dans ma poitrine et se fracasser contre le carrelage. Ça m'a fait du bien. J'ai regardé mes larmes courir dans le drain avec l'eau de la douche, sans bouger. Il m'a semblé que ces larmes étaient troubles, comme si elles dissolvaient sur leur passage un peu de la tache que je portais en moi.

Le lendemain, je suis arrivé au cybercafé alors que le soleil venait de se lever et que la ville dormait encore dans les vapeurs du samedi soir. Fouad m'avait donné les codes de l'alarme si jamais je devais intervenir sur les ordinateurs ou le réseau en son absence. Le gardien qui écoutait le journal de RFI dans sa cahute m'a salué sans me voir. Un chat a traversé la pelouse d'une foulée d'éclopé; il lui manquait une patte arrière. Des chiens aboyaient au loin. Les palabres des insectes et des oiseaux descendaient des arbres comme si je n'étais pas là. Tout était calme.

À l'intérieur, les disques durs murmuraient dans le silence du matin. J'ai eu l'impression d'entendre le bruit des rouleaux sur une plage déserte. Je me suis assis devant le même écran que d'habitude, sans allumer la lumière, et j'ai branché la clé USB du Professeur.

Elle contenait deux dossiers : un programme baptisé GeoFuzz dont le code d'exécution m'était inconnu, et une vingtaine de gros fichiers de différents types, supérieurs à 500 méga. J'ai ouvert les vidéos en premier : des films de plusieurs minutes, tournés sur un téléphone. On ne voyait rien et on n'entendait que des frottements, plus ou moins brusques, comme si l'auteur avait activé la caméra à son insu, en laissant le téléphone dans sa poche.

Les autres documents étaient un fourre-tout de promotion touristique, de tableaux de comptabilité et de communication d'entreprise. C'était décourageant et ennuyeux. J'ai quand même continué à les ouvrir, et je suis tombé sur un texte dans lequel on avait inséré plusieurs liens, dont un avait la même terminaison que GeoFuzz. Le nom du fichier était « Dr Abdullah » – peut-être le vrai nom du Professeur. J'ai lancé le programme. Des dizaines de cartes sont apparues à l'écran, toutes barrées par la mention ARMÉE DE TERRE – SECRET DÉFENSE. J'avais sous les yeux la liste des positions de l'armée française dans le nord du Mali, plus quelques détachements de forces spéciales dans les pays voisins, non loin de la frontière.

J'ai regardé l'heure : il faisait très clair dans la pièce maintenant. J'ai éjecté la clé, je l'ai remise dans ma poche et j'ai ouvert le navigateur Internet en attendant que Fouad arrive. Il y avait un seul nouveau message dans ma boîte aux lettres, sans titre. Je ne connaissais pas l'expéditeur : Andréa. Le serveur ne l'avait pas identifié comme spam, alors j'ai cliqué dessus en me demandant si c'était une blague de Mirko. Le wifi du café a eu une petite éclipse et le message a mis du temps à s'ouvrir. C'était un texte de trois gros paragraphes. En dessous, il était signé Stéphanie.

Le goût de son baiser m'est revenu aux lèvres. Je me suis mis à lire comme un fou, comme si sa voix était l'antidote au poison qui coulait dans mes veines.

Stéphanie était allée voir Greg en espérant qu'il saurait où me trouver. À la place, il l'avait emmenée chez les Bosniaques, en s'assurant que personne ne les suivait. Elle voulait que je sache que Greg avait été très gentil avec elle et qu'il lui avait fait confiance sans poser de questions indiscrètes. À Louviers, Mirko s'était montré plus méfiant; elle avait eu de la peine à le convaincre de lui dire comment me joindre. En même temps, elle comprenait. Ça l'avait touchée que des gens me protègent comme si j'étais de la famille.

Avant de me chercher à l'entrepôt, elle était passée à la maison, où Maman lui avait ouvert. Elle était très maigre et avait l'air très malade. Quand Stéphanie lui avait dit qu'elle n'avait aucune nouvelle de moi, Maman s'était mise à pleurer en répétant que c'était sa faute si j'étais parti. Elle disait qu'elle allait se laisser mourir et qu'elle donnerait n'importe quoi pour me revoir encore une fois. Stéphanie lui avait promis de me retrouver, et c'est là qu'elle s'était tournée vers Greg.

Mais il y avait une autre raison. Après la nuit sur la base aérienne, Stéphanie avait eu très peur et elle avait un peu perdu la tête. Elle était désolée d'avoir disparu comme ça. Si je voulais, on pouvait se revoir à mon retour. Mirko lui avait dit qu'il ne savait pas combien de temps je comptais rester hors de France. Il lui avait conseillé aussi de m'écrire sous un faux nom, depuis une autre adresse que la sienne. L'affaire Bianconi s'était tassée, du moins c'est ce qu'on entendait en ville, mais il valait mieux brouiller les pistes. À la fin de son message, Stéphanie me répétait de ne pas attendre pour donner signe de vie à Maman. Elle me disait aussi qu'elle m'envoyait des baisers et qu'elle espérait me revoir vite.

Stéphanie ne parlait pas du copain du fils Bianconi. Mais, après tout, elle ne me devait aucune explication : nous n'étions pas vraiment ensemble quand tout ça était arrivé. C'est moi qui me faisais des idées. Maintenant que cette affaire était derrière nous, elle laissait entendre qu'elle m'attendait.

J'ai lu et relu encore ces mots, à la fois parce qu'ils me rendaient heureux et pour m'assurer que je ne me racontais pas d'histoires. Il n'y avait pas de doute : elle était sincère et il fallait que je rentre. Je me sentais revivre. D'un côté, je m'en voulais que ma tristesse pour Maman prenne aussi peu de place dans mon cœur. Je m'en voulais aussi de ne pas penser à elle quand je m'imaginais à Évreux. D'un autre côté, c'était mieux pour Maman que je rentre de toute façon. On aurait bien le temps de voir une fois que je serais sur place.

J'étais en train de finir ma réponse à Stéphanie quand Fouad est arrivé. Il m'a demandé ce que je faisais là un dimanche, à une heure aussi matinale. J'ai répondu que ma mère n'allait pas bien et qu'il fallait que je rentre en France : c'était facile de mentir en disant la vérité. J'ai ajouté que j'avais besoin de mon passeport. « Alors tu démissionnes ? » J'ai dit que je ne savais pas, qu'il fallait que je m'occupe d'abord de ma mère, et que je reviendrais peut-être quand elle irait mieux. Je n'en croyais pas un mot.

« On ne démissionne pas comme ça, s'est fâché Fouad en ouvrant la porte de l'escalier vers le sous-sol. Dans toutes les entreprises, il faut un préavis. On part après-demain dans le Nord. C'est ce que tu voulais, non ? Tu prendras tous les avions que tu veux après le désert. Tu as besoin de ton passeport, et mes clients ont des associés qui ont besoin de toi, là-haut. »

J'ai été tenté de me jeter sur lui pour le balancer dans l'escalier, et en même temps il fallait bien reconnaître que sa réaction n'était pas une surprise. J'ai décidé de ne rien dire. J'ai écrit à Stéphanie que j'allais bientôt rentrer, je lui ai demandé de m'attendre, et j'ai cliqué sur Envoyer. J'ai regardé l'horloge de l'ordinateur. Dans une demi-heure, le bar du Radisson serait ouvert. J'ai envoyé un message instantané à Romain en lui proposant qu'on se retrouve là-bas. Il y avait plus de vingt-quatre heures que j'avais fait ma dernière prière, et je sentais la flamme de l'islam en moi de plus en plus fausse.

La fille avec qui Romain avait passé la nuit n'était pas anglaise, mais parisienne. Elle m'a tout de suite déplu. Quand j'ai dit que je venais d'Évreux, elle a pris un air désolé : « Oh, que c'est triste, cette ville. » Ça m'a fait la même impression qu'à l'époque de l'école primaire, quand un petit-bourgeois se moquait de mon père parce qu'il était agriculteur. La honte de ce que j'étais, la haine pour l'endroit d'où je venais, je crois bien que c'était ce que j'avais de plus intime : personne n'avait le droit de ressentir ces choses ou de les dire à ma place.

« C'est la même chose partout en Normandie et dans toutes ces campagnes, a-t-elle ajouté. Des kilomètres carrés de pavillons et la télé allumée vingt-quatre heures sur vingt-quatre, même quand il n'y a personne. » Je ne pouvais pas la laisser parler comme ça : « Et tu crois qu'on le fait exprès ? Tu crois qu'on aime vivre mal et dans la laideur ? Qu'on ne sait pas ce qui est beau, ce qui serait mieux pour nous ? »

Elle m'a fixé avec étonnement en tirant sur la paille de son diabolo. Romain, lui, avait l'air de bien s'amuser : « Tu as fini ? » J'ai baissé les yeux, puis je me suis tourné vers la fille : « Personne n'aime la solitude quand on ne l'a pas choisie. C'est pour ça que les gens laissent la télé allumée, pour avoir de la compagnie. » Il y a eu un silence.

Les Anglaises sont arrivées au bord de la piscine, elles avaient l'air de bonne humeur. La Parisienne ne leur a prêté aucune attention : « Mais quand même, toutes ces maisons Bouygues. Vous avez les plus beaux colombages du monde, l'ardoise, la tommette, et vous laissez tout ça tomber en ruine. Je suis désolée, mais je trouve que c'est triste. »

Je ne lui ai pas demandé si elle avait une idée du prix que ça coûtait d'installer un vérin, le temps de réparer les poutres ou de les remplacer. J'étais fatigué de cette discussion. Je me suis levé, je leur ai dit au revoir, et je suis parti. Ce n'est que dans le taxi que je me suis rendu compte que je n'avais rien bu. À un feu rouge, j'ai donné mille francs CFA à une vieille qui vendait des paquets de chewing-gums périmés, puis j'ai demandé au chauffeur de faire un arrêt au cybercafé. Il y avait un nouveau message de Stéphanie dans ma boîte aux lettres. Elle disait juste : Je t'attends.

Je n'ai pas prié et j'ai bien dormi. Je m'étais fait à l'idée de ce voyage dans le désert, parce que je n'avais aucun moyen de récupérer mon passeport si Fouad refusait de me le rendre. Il fallait que je joue le jeu, que je leur installe leurs machines, et qu'on puisse s'estimer quittes. D'ici une semaine tout au plus, je serais de retour à Bamako et je pourrais réserver mon vol. Ce n'était pas la mer à boire.

Il faisait encore nuit quand je me suis levé ce lundi matin. J'étais prêt maintenant à toutes les ruses, toutes les dissimulations. J'ai fait ma prière à l'appel du muezzin, satisfait du tour que j'étais en train de jouer au monde, et j'ai attendu Malick. Il est arrivé un peu en retard. Il avait l'air préoccupé, et il n'avait pas envie de traîner. Nous sommes partis dans les rues. Malick a accéléré d'entrée de jeu, comme s'il voulait me laisser sur place, mais je me sentais bien et je me suis accroché. Au lieu de bifurquer comme d'habitude pour longer le fleuve, nous nous sommes engagés sur le pont en direction du centre-ville. Le trafic était dense, les mobylettes et les scooters se faufilaient entre les voitures, avec une confiance aveugle dans leur klaxon. Même sur le trottoir, c'était difficile de se sentir en sécurité.

Au bout du pont, nous avons contourné le quartier des affaires pour rejoindre les rues larges et arborées de la Commune IV, où se trouvent la plupart des ambassades. Il y avait beaucoup moins de voitures, et on respirait mieux. C'était agréable aussi de courir à l'ombre. Comme je n'avais pas de problème de souffle, je me contentais d'imiter la foulée de Malick, ample mais plus nerveuse qu'à l'accoutumée. Je ne comprenais pas pourquoi il était aussi distant. Je voyais bien que ma présence l'agaçait, alors j'ai fini par ralentir en me plaçant une dizaine de mètres dans son sillage.

Nous avons continué comme ça, pendant deux ou trois minutes. J'ai laissé l'écart entre nous se creuser encore. À un carrefour, Malick a accéléré et a tourné sur la rue perpendiculaire. Je l'ai perdu de vue. Le soleil a surgi au-dessus des arbres, dans une blancheur moite. J'ai crié à Malick de m'attendre et j'ai allongé ma foulée moi aussi. Il y a eu une sorte de pause dans la rumeur de la ville, puis des coups de klaxon. J'ai débouché sur le carrefour. Une voiture a foncé sur moi, mais elle a fait une embardée sur le terre-plein pour m'éviter, avant de s'éloigner à toute vitesse. C'est là que j'ai deviné ce qui s'était passé. Je n'ai pas eu le temps de voir la marque de la voiture. Elle était juste blanche, comme tout le reste ce matin-là.

J'ai regardé à droite.

La circulation était arrêtée à quelques mètres de Malick qui était couché par terre, immobile. Seules ses jambes remuaient, on aurait dit qu'elles étaient parcourues de petites décharges électriques. Un chauffeur de taxi était en train d'appeler une ambulance. Je me suis approché, et j'ai vu les lèvres de Malick qui bougeaient. Il avait les yeux ouverts. Il regardait le ciel blanc, avec une sorte de tendresse dans son regard. Je suis venu tout à côté de lui. Sa voix était très faible, mais j'ai reconnu quelques mots d'une sourate que le Professeur m'avait apprise en arabe.

J'ai pris la main de Malick, parce que je ne savais pas quoi faire d'autre. Le ciel a commencé à se figer dans ses yeux. Il n'y avait plus rien à part la vie qui s'en allait, l'espérance d'un enfant désarmé devant la fin du monde.

4

Sur le chemin du Nord, je n'ai pas arrêté de penser à ce que serait la vie sans la certitude de la mort. Vivre dans l'épaisseur des jours, sans inquiétude ni anticipation, sans se savoir en sursis : Malick avait vécu de cette façon, et la mort était tombée sur lui comme un coup sec. Cet effet de surprise ne pouvait pas exister dans le désert. La mort s'y manifestait en toutes choses, non pas à cause du danger qu'elles représentaient ou qu'elles dissimulaient, mais parce que le monde y était partout, le monde silencieux et indifférent.

Dans le désert, le monde ne fait aucun effort pour vous aider à vous sentir chez vous. Les écrans de la société n'existent plus. Les cadres destinés à créer l'illusion que nous allons quelque part et que nous durerons sans fin, tout cela n'a aucune prise sur le sable, le soleil et l'absence de limites en général. Le monde et la mort sont là, sans rien pour nous cacher leur présence ou la rendre moins inhumaine. J'aurais voulu que Malick m'accompagne pour ressentir ça lui aussi :

quelqu'un d'aussi vivant, dans un endroit aussi plein de mort. J'aurais bien aimé me sentir moins seul et moins coupable de ce qui s'était passé.

Nous devions arriver au point de rendez-vous dans la nuit de jeudi à vendredi, accompagnés du pisteur qui nous attendait à Gao. Nous voyagions à deux voitures : le 4×4 du Professeur et celui de Fouad. Revenus à Bamako le mardi soir, les deux hommes d'affaires du Golfe faisaient la route avec le Professeur, et moi avec Fouad. Nous avons emprunté la nationale jusqu'à Mopti sans rencontrer aucun imprévu.

C'est ensuite, entre Mopti et Gao, que notre progression s'est ralentie. Seul axe est-ouest de la région, la route ne semblait plus entretenue et elle était jalonnée de check points de l'armée française tous les vingt ou trente kilomètres. Des soldats inspectaient chaque voiture avec méticulosité. Moi, je serrais la clé USB du Professeur dans ma poche, et je me disais que j'aurais mieux fait de la laisser à Bamako. Une fois que le contrôle des passagers et de l'habitacle était terminé, un démineur s'occupait du moteur et du châssis. En tout, le processus pouvait prendre jusqu'à dix minutes, et il y avait souvent plus d'une quinzaine de véhicules devant nous au moment où nous arrivions dans la file.

Pendant l'attente, Fouad laissait le moteur tourner pour que l'air reste climatisé. « L'essence, m'a-t-il dit au premier barrage, c'est le cadet de mes soucis. » J'avais remarqué qu'il y avait toujours une station-service peu après les points de contrôle. Ce qui inquiétait mon patron, c'étaient les sacs de riz à l'arrière des deux 4×4. Est-ce que cet alibi humanitaire était assez solide ? Est-ce que les soldats allaient nous laisser passer sans vérifier que nous nous rendions là où nous le leur disions ?

Entre Gao et Bourem, sur le dernier tronçon goudronné de notre itinéraire, je suis monté dans le pick-up du pisteur, Baba, un de ces géants sahéliens aux pommettes hautes et aux yeux très gris. Les sièges en cuir avaient la même odeur fatiguée qu'il y a quinze ans dans la R19 de mon père. Baba fumait cigarette sur cigarette et ne parlait pas, sauf pour répéter toujours la même chose lorsque nous roulions sur une bosse ou un nid-de-poule : « Ah, les cahots, ça c'est les cahots ! » C'était comme un refrain qui a fini par me bercer, et je me suis endormi. J'ai rêvé que j'étais dans la camionnette avec Ali et qu'il fumait en scrutant le plateau.

À mon réveil, il y avait une nuit immense au-dessus de moi, un ciel tapissé de milliers d'étoiles. Le bruit du moteur s'était tu. Baba fumait, mais il avait les yeux fermés. « On a passé Bourem ? » Il a ri et il a répondu : « Bourem est cent kilomètres derrière nous. Tu as dormi quatre heures. » J'ai regardé la carte, sans comprendre où nous nous trouvions ni l'heure qu'il pouvait être. « Moi non plus, a-t-il dit, je ne sais pas où on est. » Puis il a ajouté : « Tu n'es pas obligé de me croire. » Il a ri encore, et il a jeté sa cigarette dans la nuit.

« Qu'est-ce qu'on fait maintenant ? », ai-je demandé. « On attend. » Une heure s'est écoulée. À l'horizon, le ciel est devenu mauve, et Baba a dit que le jour allait bientôt se lever. Nous sommes sortis de la voiture, puis il s'est tourné vers moi pour la première fois : « Tu veux être un *chahid*, hein ? » Il a pincé ses lèvres qui ont fait un bruit plein de mépris. « C'est une idée de petit Blanc mal cuit, ça. Tu n'es pas d'accord ? » Je lui ai répondu que des tas de Noirs et d'Arabes français faisaient le djihad. « Je sais. Et ces idiots sont encore plus blancs que toi. On vous lave le cerveau, et il ne reste plus que du blanc à la place de votre tête. »

Baba a ramassé une poignée de sable et me l'a montrée comme si c'était une preuve. « Là où nous allons tous, moi je ne suis pas pressé d'arriver. » Il a jeté le sable au vent. J'ai regardé vers l'est, la lumière qui montait dans le ciel et les étoiles qui s'effaçaient. J'ai marché sans y penser jusqu'au 4×4 du Professeur. Il y avait quelque chose à propos de sa carrosserie blanche, quelque chose dont il fallait que je me souvienne. J'ai compris de quoi il s'agissait en passant la main sur le capot. À l'endroit où la tête de Malick était venue taper, il y avait un creux au fond duquel stagnaient les derniers éclats de lune.

Le Professeur dormait sur la banquette arrière. J'ai gardé mon calme, mais je me suis promis de lui faire la peau.

Nous avons attendu là toute la journée suivante, sans rien autour de nous que la piste, les dunes à perte de vue, et ce ciel qui n'était pas fait pour les hommes. Maintenant que les moteurs étaient coupés pour économiser l'essence, c'était devenu impossible de ne pas penser en permanence à la chaleur et à la blancheur du soleil qui mettaient le feu au sable. Tout semblait à l'arrêt : nous, le soleil sur la tôle des voitures, les heures. Dans ce temps immobile, il y avait de quoi devenir fou.

La nuit est tombée alors que je ne l'attendais plus, comme si cette journée avait duré un an. J'ai reconnu les constellations que Baba m'avait montrées avant l'aube et j'ai retrouvé un peu de calme en pensant à Stéphanie qui m'attendait. C'est idiot, mais je me suis senti récompensé de ma patience. Baba faisait une grille de mots croisés. Nous avons parlé de la vie, en Afrique et en Europe, et aussi de sa famille. Il avait cinq enfants à Gao, où il faisait construire une maison en dur avec l'argent des Arabes. Il ne s'intéressait pas à leurs affaires et il s'estimait heureux de les avoir rencontrés.

Vers dix heures moins le quart, Fouad est sorti de son 4×4. Il a demandé à Baba s'il était bien sûr des coordonnées. « C'est le point de rendez-vous », a répondu Baba en regardant la fumée de sa cigarette monter vers les étoiles. « S'il y a un autre rendez-vous, donnez-moi les coordonnées, je vous y conduirai. Si ce sont toujours les mêmes, alors il faut accepter que nous sommes au bon endroit même s'il n'y a personne. » Baba a montré l'obscurité comme pour révéler la présence de quelqu'un qui était caché là, à quelques pas : « Ils attendent de voir si nous avons été suivis. » J'ai tourné la tête, mais dans la nuit tout était immobile.

Ce n'est pas la soif qui m'a réveillé quelques heures plus tard. J'ai cru que j'avais besoin de boire, et puis j'ai entendu comme un bourdonnement dans le ciel. Baba ne se trouvait plus à côté de moi; il dormait sous une couverture à l'arrière du pick-up. J'ai enfilé mon pull et j'ai marché jusqu'aux deux 4×4. Fouad, le Professeur et ses deux associés dormaient eux aussi. Le ciel était moins lumineux que la nuit d'avant et ne me disait rien qui vaille. J'ai frissonné, en me demandant si les étoiles n'allaient pas s'éteindre une à une comme les néons de l'entrepôt d'Évreux à la fermeture.

Qu'est-ce que j'étais venu faire dans ce désert, si loin de chez moi, avec ces hommes que je n'aimais pas et dont je ne comprenais pas les buts ? J'étais fatigué de jouer un rôle. Je me sentais abandonné, et j'ai tendu l'oreille pour ne pas penser à l'absurdité de la situation. Le bourdonnement a semblé s'éloigner, avant de revenir au-dessus de nous, un peu plus en altitude. J'ai décidé de ne pas en parler au réveil.

Le deuxième jour s'est étiré sur moi comme une brûlure, et j'ai vu que les Arabes aussi commençaient à devenir nerveux. Ils regardaient l'horizon vide, s'interrogeaient du regard, consultaient l'écran de leur téléphone toutes les cinq minutes. En les observant, je me demandais lequel d'entre nous allait perdre la tête le premier. Et puis, ce soir-là, peu de temps après le coucher du soleil, des phares sont apparus au sommet de la dune que je voyais comme une ombre sur ma gauche depuis notre arrivée. J'ai cligné des yeux pour vérifier que je ne rêvais pas. Deux rayons, d'abord, puis quatre, six, huit, toute une cohorte de jeeps équipées de fusils-mitrailleurs qui nous ont encerclés dans un grand nuage de sable.

Je n'ai pas eu le temps de descendre ni de voir ce que faisait Baba : on m'avait déjà mis un sac sur la tête et poussé à l'arrière du pick-up. Je n'ai rien vu, mais j'ai mémorisé tout le reste, le vent froid de la nuit, deux voix d'hommes qui parlaient en arabe, le bruit du moteur, l'odeur d'essence et d'huile. Je ne sais pas combien de kilomètres nous avons pu rouler, ni dans quelle direction. Ça n'avait plus beaucoup d'importance. Durant tout le trajet, je me suis répété que c'était bien la peine d'être parti à l'autre bout du monde. Une fois encore, je me retrouvais aveugle, entre les mains d'hommes qui n'avaient pas l'air d'y voir beaucoup plus clair que moi dans la vie.

On m'a enlevé le sac en arrivant. Je n'ai pas vu grand-chose de l'endroit, parce qu'il faisait nuit noire. Des visages sont passés devant moi, maigres, jeunes, fatigués, des Noirs et des Arabes qui avaient l'air d'avoir mon âge et qui m'ont fait penser aux étudiants pressés qu'il m'était arrivé de croiser à Rouen.

L'un d'entre eux m'a conduit dans une tente. À l'intérieur, il y avait un sac de couchage, une bassine crevée et un livre qui devait être le Coran. Mon accompagnateur avait un air solennel, comme s'il me faisait découvrir la suite présidentielle d'un palace. Il a dit quelque chose en arabe, il m'a semblé que c'était une question, puis comme je ne répondais pas il a posé une main sur son cœur et a incliné la tête pour me saluer. Avant qu'il sorte, je lui ai demandé où étaient les autres. Il a écarté les bras d'un air désolé et je me suis retrouvé seul. Un peu plus tard, on m'a apporté une bouteille d'eau minérale. J'avais tellement sommeil que je n'ai pas eu le courage de me lever pour boire.

Au petit matin, j'ai été réveillé par l'appel à la prière. J'ai avalé la bouteille d'eau en deux gorgées et je me suis tourné vers l'est, par habitude, mais aussi au cas où quelqu'un viendrait me voir. Personne n'est venu. J'ai pensé à Malick, et aussi à Maman.

J'avais toujours cru que le fait de prier se passait dans la tête et que ça devait être un moment vide : qu'est-ce que les gens pouvaient bien se raconter à eux-mêmes pendant tout ce temps pour ne pas mourir d'ennui ? À Bamako, je n'avais pas trouvé la réponse. Je me contentais de faire semblant. Ce matin, je continuais à jouer la comédie, mais j'avais l'impression de comprendre que la pensée n'avait pas sa place dans la prière. Elle devait rester à l'écart, et s'effacer derrière les sentiments. Bien sûr, c'était difficile de savoir quelle était la part de la chaleur, de la faim et de la solitude dans tout ça – du désœuvrement, aussi. « Les mains qui ne travaillent pas sont les jouets du diable », disait le Professeur. Encore du baratin. Il n'empêche, avec toutes ces émotions que je découvrais en moi, je crois qu'il ne m'en aurait pas fallu beaucoup plus pour trouver le chemin de Dieu au fin fond du Sahara. Et puis la prière, c'était toujours mieux que la mort.

Il n'y avait pas de femmes visibles à l'intérieur du camp. En me promenant entre les tentes dans la lumière encore douce de l'aube, j'ai été frappé par le nombre de drapeaux noirs et de fusils d'assaut. Tous les garçons que j'ai croisés en avaient un sur l'épaule. Ils m'ont salué, sans s'arrêter. Ils devaient être une soixantaine, pas davantage, mais travaillaient déjà comme des fourmis. Même à cette heure matinale, ils faisaient leur boulot sans pause inutile ni bavardages, J'ai vu dans leurs yeux qu'ils ne se posaient pas de question. L'organisation du camp, en quatre colonnes de tentes séparées par des lignes bien nettes dans le sable, donnait un aperçu de leur discipline.

J'ai cherché Baba, Fouad, le Professeur et ses deux associés, mais je ne les ai pas trouvés. Les seules traces de notre présence ici, le pick-up de Baba et les deux 4×4, avaient été soigneusement camouflées sous une toile sanglée à des pieux à côté des autres véhicules.

Une main m'a tapé sur l'épaule. J'ai reconnu mon guide de la veille, qui n'avait pas l'air très heureux que je sois parti en promenade. Je ne voulais pas lui créer de problèmes, alors je l'ai suivi jusqu'à une tente dont l'entrée était gardée. Le Professeur était assis à l'intérieur. Il parlait à voix basse à un homme de taille moyenne, qui pouvait avoir une cinquantaine d'années. C'était le chef des pirates : une cicatrice lui barrait la joue gauche de la tempe jusqu'au menton, et il portait un cache-œil du même côté.

« *As salam aleykoum* », ai-je dit en baissant les yeux. On m'a salué et on m'a fait asseoir non loin du ventilateur. L'homme à la cicatrice m'a étudié un instant, puis il s'est excusé de ne pas parler français. « *Ten minutes* », a-t-il dit dans un large sourire, en me montrant ses dix doigts. J'ai interrogé du regard le Professeur, qui me souriait lui aussi : « Le cheikh est très fier de ce camp. Si c'est nécessaire, tout peut être démonté en dix minutes. Il ne restera rien. »

J'ai hoché la tête en essayant de montrer mon admiration, ou plutôt de cacher le malaise que je ressentais en présence du Professeur. J'avais de nouveau la gorge sèche et ce goût de sable dans la bouche. Je regardais le Professeur, et je pensais à Nono. Je voyais le creux sur le capot du 4×4. Il y avait de la peur dans mon sang, comme dans la cave de la maison à Évreux, mais aussi de la haine. Et je crois bien que le Professeur aussi le sentait : il avait l'air gêné, plus maniéré que d'habitude. « Plus de cent cinquante attaques ont été lancées d'ici, a-t-il repris. Contre l'armée française, contre les Maliens, mais aussi au Niger et dans le sud de l'Algérie. Tu es dans le cœur du réacteur. »

Il y a eu un silence et j'ai cru qu'on m'invitait à parler. « Comment est-ce que je peux être utile ? » ai-je demandé. Le Professeur s'est penché vers l'homme à la cicatrice pour lui traduire ma question. « La borne wifi est déjà installée, elle est enterrée dans le sable. Le signal vient d'un satellite ami. Il faut que tu installes les ordinateurs, que tu t'occupes de la mise en réseau, et que tu testes leur sécurité. » J'ai répondu que je pouvais faire ça en trois ou quatre jours, en fonction du matériel. « Nos machines sont récentes et très rapides, a coupé le Professeur. Mais il faudra que tu restes pour la maintenance, jusqu'à ce qu'on te trouve un remplaçant. Quelques mois tout au plus. Tu verras, le temps passe vite quand on est occupé au service d'Allah. »

On m'a fait comprendre que l'entretien était terminé. Je suis sorti, et la chaleur m'a brûlé le visage. Il n'y avait plus rien à dire. Je m'étais bien fait avoir, comme quand j'avais donné mon passeport à Fouad. C'était la vie de ces hommes-là : mentir, faire croire, tromper. Les raisons pour lesquelles ils agissaient ainsi n'avaient aucune importance dans le fond. Tout ce qui comptait, c'était que des idiots de mon espèce soient prêts à les écouter et à leur faire confiance. Comme je ne devais pas être le seul, loin de là, ce n'était pas compliqué de voir que la *taqiya* avait un bel avenir devant elle.

J'étais en train de penser à Malick couché sur le goudron, à sa voix qui demandait pardon à Dieu. Je me disais que Dieu choisissait mal les siens, très mal, quand j'ai aperçu Baba qui mangeait un morceau de viande séchée. « Alors, *chahid*? Heureux d'être avec tes frères guerriers ? » Je lui ai répondu que ça n'avait pas l'air de le déranger lui non plus. Il m'a regardé avec sévérité : « Moi, je sais pourquoi je suis ici. Je construis une maison. Je mets à manger sur la table de ma famille, et je sais que c'est la volonté de Dieu. Tu connais ? S'il y en avait une autre, il me l'aurait montrée. » J'ai dit que moi aussi je marchais sur le chemin de Dieu. Ça l'a fait rire : « Mais quel Dieu, et quel chemin ? Quand on te regarde, petit Français, c'est difficile de croire que tu sais où tu vas. »

Je me suis trouvé bête. Pour changer de sujet, je lui ai montré les hommes qui étaient en train d'installer leurs fusils d'assaut sur un terrain aménagé au pied de la dune. Les cibles étaient à une cinquantaine de mètres. La première rafale a fait un bruit mat, presque sec, sous le soleil blanc. « D'où vient tout cet argent ? » ai-je demandé. Baba m'a pris par l'épaule et nous avons marché. Tout à coup, j'ai eu l'impression qu'il m'aimait bien malgré ses reproches et qu'il était désolé pour moi. « Tu te rappelles les sacs de riz que vous avez apportés de Bamako ? Une fois sur trois, une fois sur quatre, c'est de la drogue. Le cheikh la revend à des Algériens qui la font remonter en Europe. » Il a hésité une seconde : « Et puis il y a les Blancs. »

J'ai froncé les sourcils : « Les Blancs ? » Baba a poussé un soupir, qui était comme le bruit de tout ce que je ne savais pas. « Les petits Blancs comme toi. Blancs comme je viens saigner le sous-sol de l'Afrique pour m'acheter une cinquième résidence secondaire et un beau bateau. Blancs comme je construis un puits dans le désert pour ces pauvres nomades persécutés par des régimes génocidaires. Blancs comme je ne sais même pas qui je suis et peut-être que le soleil va m'assombrir un peu la peau. Tu crois que tes copains font la différence entre les gentils, les méchants et les paumés ? Ouvre les yeux : chair à canon ou monnaie d'échange, ils vous voient tous comme des petites marionnettes qui dansent au rythme de leur chanson. »

Je lui ai demandé s'il y avait des otages dans le camp. « J'en ai vu deux la dernière fois que je suis venu, je ne sais pas s'ils sont encore là. Tu ne penses tout de même pas qu'ils vont te les présenter ? Ils évitent toujours de montrer les otages à leurs volontaires, parce qu'ils sont assez bêtes pour croire que ça pourrait vous attendrir, si jamais vous vous imaginez à leur place. Tu te rends compte ? Ils estiment que vous êtes encore assez humains pour ressentir de la pitié. Ça n'est pas la meilleure, ça ? Vraiment ! »

Baba a jeté son morceau de viande et, du pied, l'a recouvert de sable. Le vent s'est levé tout à coup. J'ai pensé à la chapelure de Maman et l'espace d'une seconde j'ai senti l'odeur de l'escalope de dinde, dans le flottement du dimanche midi. Le soleil était très haut et liquide comme du lait au-dessus de nous. J'ai dit : « Moi, je suis un homme. Je sais ce que je veux et je sais d'où je viens. » Baba m'a serré l'épaule. « Je n'en doute pas, petit Français. C'est ça qui me désole. Vous dites tous la même chose, quand vous arrivez. Mais ta colère, tu vois, elle ne t'appartient plus. Tu as choisi de leur en faire cadeau. Maintenant, c'est à eux de décider combien de temps tu vas rester un homme. »

Il a allumé une cigarette, s'y reprenant plusieurs fois à cause du vent, et il a dit qu'il repartait le soir même avec Fouad et deux des trois Arabes. Je lui ai demandé si le Professeur restait, mais il n'en savait rien. « Ça n'a aucune importance. » La lumière roulait sur son visage comme de la neige en train de fondre. « Ce soir, tous les soirs, toi tu restes sous la tente. Il faut que tu fasses attention. Tu comprends ? Tu restes sous ta tente et tu attends ton heure. » J'aurais voulu le retenir encore un peu, mais il fallait qu'il aille préparer ses affaires. Il m'a embrassé trois fois, front contre front, à la ouest-africaine : « Adieu petit Français. Je prierai pour que Dieu te garde. Ne prie pas trop, si tu veux qu'Il m'entende. »

En le regardant s'éloigner dans les tourbillons de sable, j'ai ressenti la même tristesse qu'à Roissy, quand Greg m'avait crié de lui envoyer des pierres. Il y en avait une à mes pieds, et je l'ai ramassée. Coupante, brûlante, comme celles que Greg m'avait demandées. J'ai étudié son dessin et je me suis dit qu'il y a des gens qui connaissent la vérité sur vous. Ils savent, voilà tout. Greg et Baba faisaient partie de ces gens-là. Vous partez, vous les laissez partir, et il ne vous reste plus entre les mains que la brûlure et la blessure des jours.

J'ai travaillé trois heures cet après-midi-là, en essayant de ne pas penser au Professeur. Je n'arrivais pas à décider si j'aimais mieux qu'il parte ou qu'il reste. Comme la tente était ventilée pour les machines, je me suis débrouillé pour ne pas trop transpirer, en faisant des pauses. Peu à peu, j'ai trouvé un rythme. Si je fermais les yeux, je pouvais m'imaginer à l'entrepôt, dans le calme des rayonnages. Ça n'était pas désagréable, et j'ai commencé à y prendre goût.

La nuit est tombée vite. Je me suis installé sous ma tente, avec une boîte de conserve et du thé pour le dîner. On m'avait aussi laissé un couteau suisse, du papier sans crayon, plus un transistor qui n'avait plus de piles. Je me suis dit qu'il faudrait demander de l'eau le lendemain matin, et je me suis endormi.

Il ne devait pas s'être écoulé plus de deux heures quand je me suis réveillé en sursaut, peut-être à cause du vacarme dehors ou dans mon rêve, des tirs de mitrailleuse et des explosions de roquettes, mais surtout parce que le Professeur était penché au-dessus de moi, son visage tout proche du mien. Il suait à grosses gouttes et avait l'air effrayé : « Les Français sont là ! Tu vas leur dire, n'est-ce pas ? Tu vas leur dire qu'ils me retenaient prisonnier avec toi ! »

Je n'avais pas encore les idées très claires, et j'ai voulu lui dire que personne ne le croirait. Il ne m'en a pas laissé le temps et a répété les mêmes mots, pesant de tout son corps sur moi, me soufflant son haleine dans les yeux. Tout m'est revenu en une inspiration : les kilos de sable dans ma gorge, la clé USB au fond de ma poche que son poids m'enfonçait dans la cuisse, les yeux blancs de Malick, le creux sur le capot blanc du 4×4. Ma main a attrapé le couteau suisse à côté du sac de couchage et je l'ai planté dans son cou, sous le menton, sous l'oreille, sur la carotide. Le sang s'est mis à couler de toutes ces petites ornières, comme sur une fontaine – comme Nono aurait saigné si j'avais eu le courage d'appuyer sur la détente dans le couloir de la maison.

Un hélicoptère tournait au-dessus du camp et faisait trembler la toile de la tente, mais je ne voyais plus que ça, les petits ruisseaux de sang qui coulaient le long du cou du Professeur, son visage qui devenait de plus en plus pâle, et je sentais le mien qui devenait de plus en plus rouge. En entendant les gargouillis qui sortaient de sa gorge et de sa bouche d'homme mort, j'ai eu envie de rire. Je me sentais heureux et libre comme un enfant.

« Docteur Abdullah, je présume ? » a dit une voix que je connaissais bien. « Du moins ce qu'il en reste. » J'ai laissé le corps du Professeur retomber à plat sur le sac de couchage et j'ai vu Romain, peinture de camouflage sur les joues, debout à l'entrée de la tente.

Il me souriait. On aurait dit qu'il avait fait tout ce chemin pour m'annoncer que les Anglaises du Radisson étaient, sans contestation possible, le meilleur coup au sud du Sahara.

5

Romain a éteint son téléphone. « C'est sûr qu'on aurait bien aimé lui demander deux ou trois choses. Et on n'est pas les seuls. Mais personne ne t'embêtera avec ça pourvu que tu joues le jeu. »

Il y avait une tasse de café brûlant entre nous, remplie à ras bord, et aussi une bouteille d'eau. Moi, je n'avais pas soif : j'avais une faim de loup. Comme dans le commissariat d'Évreux, la pièce où on m'avait installé était sans fenêtre. Je ne savais pas où j'étais. Une base militaire française, ça me semblait le plus probable. Bamako, peut-être, ou un avant-poste dans le nord du pays, un de ces points sur la carte GeoFuzz. Je n'avais aucune idée de l'heure qu'il pouvait être. Depuis combien de temps est-ce que j'étais ici ? Tout ce que je savais, c'est que j'étais fatigué, que j'avais faim, et que le Professeur était mort. Le jour ou la nuit, dans mon cas, cela ne faisait pas une grande différence.

J'ai dit que je me sentais faible et j'ai encore demandé si je pouvais manger quelque chose.

Comme les fois précédentes, Romain a fait semblant de ne pas m'entendre. Je le trouvais beaucoup moins gentil qu'à la piscine de l'hôtel. En descendant de l'hélicoptère, il m'avait donné de quoi me rincer le visage et les mains, mais le sang du Professeur avait séché sur mon T-shirt et je sentais encore son odeur de mort. Elle ne me faisait plus rire à présent; elle me rendait malade. C'était étrange, d'ailleurs, que je puisse avoir aussi faim en ayant cette odeur sous le nez.

« Romain, ai-je repris dans l'idée de contourner l'obstacle. Est-ce que c'est ton vrai nom ? » Ma question l'a fait sourire, comme toutes les autres, mais il a continué à m'observer en silence. J'ai insisté : « Comment tu t'appelles, alors ? » Il a haussé les épaules en me demandant pourquoi je pensais qu'il ne s'appelait pas Romain. « Parce que tu es un menteur. » Mon accusation n'a pas eu l'air de le déranger : « Et alors ? Toi aussi, tu es un menteur. Ça ne change rien à ton nom. Et ton nom, même s'il est vrai, il ne change rien au fait que tu es un menteur. »

J'avais tellement faim que je n'étais plus capable de mettre une idée devant l'autre. « Tu poses toutes les mauvaises questions », a dit Romain. Je ne comprenais pas. « Ce ne sont pas les questions qui te feront sortir d'ici. » Mais c'était plus fort que moi : je voulais savoir où on était. À ce moment-là, un homme en uniforme est entré et a posé une enveloppe sur la table. Romain l'a remercié. « Je croyais que tu avais un faible pour les bases aériennes, a-t-il repris en sortant des photos de l'enveloppe. On dirait que le petit chat a perdu ses moustaches. »

Il a aligné trois photos devant moi et j'ai senti le froid de son regard en reconnaissant les visages : Stéphanie, Baba et Malick. Il m'a laissé les regarder quelques secondes, puis il a dit : « Tes amis, ce sont tous nos amis. Tu comprends ? » J'ai mis le doigt sur la photo de Malick, qui avait été prise un matin où nous étions en vadrouille dans le quartier : « C'était », ai-je dit. « C'était, a répété Romain, et crois-moi quand je te dis que ça m'a fait de la peine. Ce gosse avait un cœur pur... » Il a marqué une pause, par gêne ou peut-être parce qu'il était ému. Je me suis engouffré dans la brèche : « Il n'avait rien à faire dans cette histoire. » Romain m'a dévisagé en serrant les lèvres. « C'est toi qui l'as embarqué. Nous, on n'a fait que suivre le mouvement. Il était là. On l'a utilisé. » C'était incompréhensible : « Utilisé ? » Romain a répété le mot comme si je ne parlais pas français, en découpant bien chaque syllabe. « Et on a fait la même chose avec ta copine d'Évreux. »

« Qu'est-ce que tu veux dire ? ai-je demandé, démoli à l'idée de ce que j'allais entendre. Qu'est-ce que vous lui avez fait ? » Romain a secoué la tête : « Rien du tout. On a eu un brin de conversation avec elle, et on t'a écrit à sa place. C'est comme avec mon prénom : rien ne dit qu'elle ne t'attend pas. Elle t'attend peut-être, mais elle ne le sait pas. »

Il venait de me briser, et j'ai fermé les yeux en essayant de me rappeler la tendresse que Stéphanie m'avait donnée, ce soir-là au café. Romain a repris d'une voix douce : « Tu as baissé ta garde. Personne n'avait ton adresse à part le bandit bosniaque. » J'ai crié que Mirko ne m'aurait jamais trahi. « C'est vrai, il ne nous a rien dit. Tout était dans son ordinateur. Mais tu veux savoir qui c'est, le seul sur qui tu peux compter ? » Il a tiré une photo de Greg qu'il avait glissée sous celle de Baba. « Celui-là, il nous a toujours envoyé promener. Rien à faire. Pourtant, il a un paquet de casseroles. Dettes de jeu, contrebande, recel, proxénétisme... Il nous a dit qu'il préférait être au trou avec son honneur que libre en ayant balancé un copain. On a fini par lui foutre la paix, parce qu'on n'avait plus besoin de lui. Je ne suis pas sûr que la police municipale l'entende de cette oreille. »

Il a rangé les photos et en a sorti quatre autres – Ali, Fouad, le Professeur et le cheikh. « À propos d'oreille. Ta mère a dénoncé ton beau-père. Il est à la maison d'arrêt, en attendant son procès pour maltraitance. C'est tout ce que ça te fait ? » Ça ne me faisait ni chaud ni froid : j'étais en train de penser que Malick était mort par ma faute, que je ne méritais pas l'amitié de Greg, que Stéphanie ne m'attendait pas, et que je ne goûterais plus jamais à ses baisers.

« Je ne vais pas te raconter d'histoires. Tu es dans un merdier pas possible. Si on te ramène en

France, le juge te colle vingt ans, au bas mot. Ça fait long, même pour un indifférent comme toi. » J'ai répondu que je n'étais pour rien dans l'accident du fils Bianconi et que je ne pouvais pas recevoir une peine aussi lourde pour avoir descendu un chien. Il a souri, avec la même expression amicale qu'au bord de la piscine, et il a posé la main sur mon bras : « Si on parlait un peu des Quatre Cavaliers de l'Apocalypse ? »

J'ai regardé les quatre visages sur les photos. « Ils ont tous leur dossier à l'antiterrorisme sous différentes rubriques : petite main, financier, stratège... Ça fait trois ans que les Américains pistent le cheikh et le Dr Abdullah. Je ne te dis pas leur tête quand on va leur annoncer que le premier nous est tombé entre les mains, et que le deuxième est mort. Un conseil : évite de leur dire que tu étais dans le coup si jamais tu les croises. »

Romain a retourné les photos de Fouad, d'Ali et du Professeur : « Tu t'es occupé de celui-ci, et celui-là n'est qu'un vieux romantique qui ne s'est jamais sali les mains. Le Libanais, on va le remettre aux Maliens, ça va être sa fête. » Il a mis le doigt sur celle du cheikh : « Reste le gros poisson : on est en train de lui parler, avec deux idées en tête. Un, savoir ce qu'il comptait faire avec les cartes qu'on a extraites de ta clé USB, revendre ou attaquer. Deux, il avait une connexion syrienne par l'intermédiaire du bon docteur. Des armes, de l'argent, pour l'essentiel. On aurait bien aimé en parler au bon docteur lui-même, mais rien ne se passe jamais comme on veut dans la vie. » Il avait promis que ça n'était pas grave – qu'on ne m'embêterait pas avec ça. « Et c'est toujours vrai, à condition que tu coopères. On a un problème en Syrie. Tu as le bon profil, et tu vas nous aider à le régler. »

Pour la deuxième fois en moins de vingt-quatre heures, j'ai demandé à un menteur comment je pouvais lui être utile. L'idée que j'étais maintenant un agent double m'a traversé l'esprit. Je l'ai laissée passer, comme une grive qui traverse le ciel sans qu'on lève le fusil.

Romain a rallumé son portable et consulté ses messages. Tout compte fait, je ne le trouvais pas si différent de l'homme que j'avais rencontré dans l'avion et avec qui j'étais devenu copain. Je suppose que c'était une question de perspective. Il a levé les yeux vers moi, et il m'a posé une question en arabe. J'ai eu l'impression qu'il me demandait si j'étais musulman. J'ai un peu hésité, puis j'ai fait oui de la tête. « Le djihad, c'est le chemin de Dieu ? » J'ai répondu que c'était le chemin des hommes. « On est d'accord, a dit Romain. Et tu vas nous aider ? » J'ai acquiescé encore une fois, et j'ai dit : « Inch' Allah. » Il a eu un grand sourire : « Voilà. Je savais bien qu'on arriverait à s'entendre. »

Il a recommencé à me parler de ce problème en Syrie, en disant toujours « On », comme si le problème concernait tout un tas de personnes dont je faisais désormais partie. Je l'ai interrompu, parce que je voulais savoir pourquoi « on » m'avait envoyé un mail en se faisant passer pour Stéphanie. « Pas parce qu'on te veut du mal, si c'est ce que tu penses. » Il avait l'air un peu irrité que je lui fasse perdre son temps. « Il fallait qu'on trouve un moyen de précipiter ton départ dans le désert. Quand il y a urgence, on se rabat sur les fondamentaux : l'argent, le sexe, les sentiments. Toi, tu es un grand sentimental. C'est pour ça que je t'aime bien. » À force d'entendre parler de moi comme si j'étais une carcasse à disséquer, un machin ouvert pour que tout le monde puisse voir à l'intérieur, je n'avais plus faim. J'ai bu un peu de café, il était tiède maintenant. Puis j'ai écouté les détails de ce que Romain appelait la « mission ».

Il y a six semaines environ, à peu près à l'époque où j'avais quitté la France, un agent français était rentré en Syrie, par la Turquie, pour infiltrer le califat. C'était une jeune fille brune, néo-convertie. Via une filière de la banlieue lyonnaise, elle avait noué un contact avec un chef djihadiste qui voulait la prendre pour femme. Cette couverture était inespérée. Au début, elle avait fonctionné comme sur des roulettes : les supérieurs de Romain savaient que la fille s'était mariée et installée sans encombre dans son rôle de femme au foyer. Mais il y avait maintenant trois jours que Salomé n'avait plus donné de nouvelles, et tout le monde était inquiet. C'était là, d'après Romain, que j'entrais dans la danse : il fallait que je la retrouve et que je la ramène en France.

J'ai demandé à Romain si Salomé était un nom de code. « Décidément, a-t-il dit en me passant son téléphone. Tu regardes trop de films. Voilà la dernière photo qu'elle a postée sur Facebook. » Le voile était mal mis et des mèches de cheveux bruns retombaient sur de grands yeux verts qui savaient ce qu'ils voulaient.

C'était le portrait craché de Stéphanie.

III

NULLE PART

1

Je n'ai rien vu à Urfa.

J'ai attendu cinq jours, dans une pauvre chambre d'hôtel, que Romain me rejoigne. Il y avait un lit une place, des cafards sur le carrelage de la salle de bains et une fenêtre qui laissait entrer l'hiver. L'officier turc installé dans la chambre d'à-côté n'était pas bavard. Il était là pour me surveiller, et il s'en tenait à cette responsabilité. J'avais droit à une demi-heure d'Internet par jour. Pour tuer le temps, je regardais dehors. La ville ressemblait à un paquebot pris dans les glaces. Ses larges avenues s'étiraient comme des fissures jusqu'à l'horizon, et ses immeubles avaient l'air de se demander pourquoi ils tenaient debout. Dans la rue, des silhouettes élimées marchaient sans but, en rentrant les épaules.

J'en étais presque à regretter Évreux quand Romain est arrivé. Il avait le front fatigué, l'œil sombre. Nous sommes allés dîner dans le restaurant où le Turc avait pris l'habitude de commander des menus à emporter. Un grand aquarium coupait la salle en deux, comme dans les restaurants chinois du centre-ville où Maman m'invitait pour les grandes occasions. Romain a choisi et m'a demandé si j'étais prêt. « Un autre jour dans cette ville, ai-je répondu, et je me tire une balle. » Il a souri : « Bien. On part demain matin. »

Nous nous sommes mis en route avant le lever du soleil. Romain et le Turc m'ont déposé à quelques kilomètres de la frontière syrienne, où le passeur m'attendait. Le pays était immense et ouvert à tous les vents. Des kilomètres et des kilomètres de vide, à en perdre la vue. Le froid m'a pris à la gorge comme un mauvais pressentiment.

Le Turc est resté au volant. Il a laissé le moteur tourner, et son visage plissé m'a fait penser à celui d'un chauffeur de taxi qui termine sa nuit. Romain a payé le passeur et m'a donné un long manteau à capuche. « Mets ça, et marche tout droit. » Il était gêné, peut-être parce qu'il savait au fond de lui qu'il m'envoyait au casse-pipe. Je me suis demandé s'il avait des remords. Nous nous sommes serré la main, et j'ai dit : « Je sais où je vais. » J'ai dit ça pour le mettre à l'aise. Il m'a souhaité bonne route : « Je vous attendrai à Urfa. Tu reviens avec elle, et tu es libre de vivre où tu voudras. » J'ai hoché la tête. Il a levé l'index vers le ciel vide, avec le même sourire en coin qu'au bord de la piscine du Radisson. « Pas de bêtises, hein ? Tu sais que tu es filmé. »

Traverser la frontière a été facile : je ne m'en suis même pas rendu compte. Ensuite, le passeur a disparu. J'ai marché en essayant de prendre des repères. Une colline, un rocher, un arbre mort, n'importe quoi. C'était absurde, parce qu'il n'y avait aucune raison que je repasse par là – aucune raison que je revienne vivant. J'ai quand même regardé autour de moi, au cas où. Mais le paysage était tellement monotone que j'ai préféré me concentrer sur ce que j'avais à faire.

Je savais où j'allais, c'était la vérité. Et je savais pourquoi. Là-bas, dans la forteresse du califat, il y avait cette fille qui avait les yeux de Stéphanie et que je devais ramener à Romain. Mon copain Romain, Romain aux deux visages. Romain, le champion de la *taqiya*. Ça, c'était ma mission officielle, le prix pour qu'on passe l'éponge sur mes erreurs de jeunesse. Et puis il y avait une autre raison, qu'aucun des satellites au-dessus de ma tête ne pouvait deviner : Malick était mort à cause de moi. Pour remettre les compteurs à zéro, il fallait que je retrouve cette fille et que je la sorte de là. C'était très clair dans mon esprit. J'avais beau ne pas savoir comment j'allais m'y prendre, je me sentais responsable.

J'ai marché des heures au milieu de la pierraille et des champs en friche. Le soleil s'est couché, puis il est réapparu très vite de l'autre côté de ce ciel sans forme. Il faisait très froid. J'avais trop faim et trop soif pour penser que le temps pouvait encore compter. J'ai commencé à me dire que j'allais errer sans fin, dans mon manteau à capuche, en marchant tout droit. C'était peut-être la dernière blague de Romain pour se débarrasser de moi : il n'y avait ni forteresse, ni fille à sauver. Je l'imaginais devant son écran, suivant ma route de petits points, jusqu'à ce que je m'écroule. J'avais envie de lui en donner pour son argent.

À la tombée de la nuit, je suis entré dans un village. Romain m'avait dit que le nord du pays était peuplé de Kurdes. Leurs maisons avaient été incendiées, certaines étaient encore fumantes. On sentait que la guerre et la mort étaient proches. La défaite habitait là.

J'ai mis du temps à me rendre compte qu'il n'y avait que des femmes dehors. Elles m'ont regardé passer, toutes avec le même froid dans leurs yeux. Je les ai bien regardées moi aussi et j'ai compris pourquoi : ces femmes savaient que les choses ne pouvaient pas être pires. C'était la fin de tout qui se donnait en spectacle ici. Mais, au lieu de mourir, elles revivaient cette fin jour après jour. Je me suis senti tomber dans leurs regards de cendres. J'ai pensé en traversant ce village qu'aucune bonté, aucune joie n'est de taille face au malheur qui s'éternise.

On m'a apporté à boire. J'ai demandé à l'une de ces femmes gelées devant chez elles si c'était le bon chemin pour trouver les guerriers de Dieu. J'ai posé la question en français, et elle n'a pas compris. Alors j'ai dit que je venais de loin et que je voulais rejoindre le califat. Il m'a semblé que ses yeux se réchauffaient un peu. Elle a couru à l'intérieur, et elle est ressortie avec une photo. C'était le portrait d'un homme moustachu. Il devait avoir une quarantaine d'années. La femme s'est mise à parler très vite, en pointant son doigt dans toutes les directions, comme si j'étais sorti de nulle part rien que pour retrouver ce mari au visage triste. Je me suis éloigné, et j'ai repris mon chemin. La femme a crié dans mon dos. J'ai entendu sa voix et senti l'odeur de brûlé longtemps après avoir quitté le village.

J'ai traversé d'autres villages, plus ou moins rasés, étranges points de suspension au milieu du vide. Ce n'était pas difficile là-haut de se croire seul au monde ; c'était même assez naturel de ne rien croire du tout. J'aurais pu m'arrêter là, d'ailleurs, et attendre que la faim ou le froid m'effacent à mon tour. Il n'y a que cette folie d'accomplir mon devoir pour m'avoir poussé à continuer.

J'ai compris que j'étais arrivé quand j'ai aperçu un garçon de mon âge avec, au front, la même brûlure de vie que moi. Il m'a conduit à d'autres, dans lesquels je me suis reconnu aussi. Des garçons de toutes les origines, de tous les pays du monde, surtout d'Europe et du Maghreb : blonds, bruns, aux yeux verts, bleus, marrons, grands, petits, forts, maigres, noirs, blancs, arabes, français. Je les aurais reconnus même sans leur drapeau noir et sans leurs armes. En les observant, j'ai pensé que c'était écrit : les déchets de la grande illusion, de la vie, de la civilisation, réunis pour former les contingents de barbares qui devaient tout détruire. C'était inévitable que nous pensions être frères.

Qu'est-ce que nous savions ? Rien de solide, en définitive. Notre ignorance du monde était totale. Nous savions qu'il fallait le faire partir en flammes, et c'était suffisant. Nous savions, tous, que nous étions déjà morts. En vie, mais pas vivants. Cassés. Irrécupérables. La mort ne se répare pas, disait le Professeur. Mais si la vie est pareille, sans issue, impossible à vivre ? Nous savions que la vie chez nous aurait plutôt crevé que de nous laisser une chance. Nous étions là pour ça, moi et tous les autres. Ils voulaient tuer ? Moi, il fallait que je les empêche de tuer cette fille. C'était la même chose malgré les apparences. Nous voulions être des héros. Je n'avais pas la mauvaise foi de me croire différent.

J'ai demandé une arme et un lit – mon dû de petit soldat. On ne m'a donné que le lit. J'ai été conduit dans une maison en parpaings, sans toit ni fenêtres, et on m'a dit d'attendre. Je me suis endormi. Il faisait nuit quand je me suis réveillé, et l'arrière de mon crâne était dur comme le béton du mur. J'avais très froid aux pieds et aux mains. Un homme d'une trentaine d'années est venu et m'a demandé si je parlais anglais. Quand je lui ai répondu, il s'est mis à me parler français avec un léger accent, peut-être belge. Ça m'a fait du bien de dire quelques mots dans ma langue.

L'homme m'a laissé de l'eau et une couverture, puis il est reparti.

Le lendemain, trois autres hommes me regardaient quand j'ai ouvert les yeux. Le plus grand avait les cheveux blonds comme moi. Il portait un T-shirt avec un dessin de pin-up en bikini, à califourchon sur le canon d'un char, sur lequel était écrit GAZA STRIP CLUB. Il m'a tendu la main : « C'est toi, le Français ? » Il avait un accent américain. J'ai fait oui de la tête et je me suis levé. « Bienvenue à la forteresse. Tu es sûr que tu es ici pour de bonnes raisons ? » J'ai répondu que j'en étais sûr et certain, en essayant d'y mettre le plus de conviction possible. Il s'est effacé pour me laisser passer : « Ici, on m'appelle Jack. Ou John. Comme tu préfères, *guy*. Viens avec nous. »

Nous avons marché une centaine de mètres, jusqu'à une maison dont les murs étaient peints à la chaux et moins abîmés que les autres. Sept officiers étaient assis en cercle dans la grande pièce du rez-de-chaussée. Celui qui avait l'air le plus âgé a pris la parole, en arabe.

« Qu'est-ce que tu veux ? » a traduit le blond. J'ai dit que j'étais venu ici pour me battre et mourir. Je voulais une arme. « Pourquoi ? » J'ai répondu que je n'aimais pas le monde dans lequel je vivais, parce que je le trouvais faux. « Et tu penses que tu seras plus heureux dans l'autre monde ? Après ta mort ? »

J'ai réfléchi un instant et j'ai dit que je ne savais pas. Il y a eu un murmure d'étonnement, je me suis senti mal à l'aise. J'ai ajouté que si la vie n'était pas la vie, il n'était pas impossible que la mort ne soit pas la mort, mais je n'en étais pas sûr. J'avais l'impression d'être déjà dans un autre monde.

« Est-ce que tu crois en Dieu ? » a demandé un homme maigre assis à gauche du premier. J'ai hésité. Comme j'étais fatigué de cette comédie, je lui ai demandé où était Dieu là-dedans. Je l'ai regardé, lui, sans passer par l'Américain aux cheveux blonds. « Où ça ? » J'ai montré son T-shirt et les fusils d'assaut contre les murs. « Là-dedans. Ici. À la guerre. Vous me parlez de Dieu, mais je ne vois que des hommes. » Le murmure dans la pièce a enflé. L'homme âgé a dit un mot à l'oreille de l'Américain, puis tout le monde s'est levé.

Il ne restait plus que moi et cet Américain qui s'appelait Jack ou John et qui parlait français avec un accent de cow-boy. « Je regrette, *guy*, mais tu ne peux pas combattre si ta foi n'est pas établie. Il va falloir que tu fasses tes preuves. » C'est comme ça que je me suis retrouvé à garder les prisonniers de Dieu.

J'étais persuadé que mon destin était de sauver la fille, ou alors de mourir vite, sans me poser de questions. Mais comment faire l'un ou l'autre, en étant enfermé toute la journée alors que mes collègues partaient se battre ? Une fois de plus, je me retrouvais coincé. J'ai pensé à Mirko dans sa prison. « Quand le vent tourne, m'avait-il écrit après mon départ de France, il tourne plus vite que les hommes. » Le vent soufflait très fort sur les terres du califat.

Les deux premières semaines se sont écoulées au compte-goutte, sans aucun événement. Je répétais chaque jour les mêmes gestes, toujours aux mêmes heures, conscient de perdre mon temps sans pouvoir rien y faire. Je cavalais dans le vide comme un hamster sur sa roue. Je faisais ma ronde et je voyais le visage des hommes derrière leurs barreaux, des Européens pour la plupart. Ils avaient tous le même visage, sculpté par le désespoir, l'angoisse de la mort. Ils n'étaient pas venus, eux, pour se faire tuer. Ils avaient autre chose en tête : rapporter des nouvelles de la barbarie, pour que le monde comprenne. Ils ne voyaient pas que ça n'a aucun sens de se croire plus malin que la guerre.

Les journalistes étaient les plus nombreux. Ils étaient les plus faciles à enlever, et les plus rentables. La vie des humanitaires pesait moins lourd dans la balance du califat. On m'avait expliqué qu'ils connaissaient mieux le terrain, que leurs organisations n'avaient pas les moyens des journaux et des chaînes de télévision quand ils se faisaient prendre. Il fallait se méfier d'eux : parfois, c'étaient des espions. Je revoyais le sourire de Romain en les observant. Enfin, de temps en temps, il y avait les combattants ennemis. Ceux-là ne faisaient pas de vieux os en cellule. On les exécutait quelques jours après leur arrivée, une semaine tout au plus. Ils savaient qu'ils allaient mourir. C'était dur à vivre au quotidien, mais qu'est-ce que je pouvais y faire ? Je n'étais que leur gardien. Je me sentais proche d'eux, parce que j'avais l'impression de me trouver dans la même impasse que ces condamnés.

Romain m'avait dit que je verrais beaucoup de « locaux » parmi les prisonniers. En fait, il n'y avait ni femmes, ni enfants, ni vieillards. Le calife savait que leurs vies n'ont aucune valeur. Ils étaient morts sous les décombres de leur maison, ou bien ils attendaient sans y croire les hommes qui sont partis et qui ne reviendront plus, comme cette femme avec la photo de son mari, incapable de quitter un village en ruine.

Les prisonniers qui se trouvaient là, on ne les appelait pas par leur nom. On ne disait pas non plus « les infidèles ». Pour moi et mes collègues gardiens, ils étaient « les autres ». Les autres à qui on donne à manger et à boire. Les autres qu'on punit. Les autres qu'on torture. Rien ne les différenciait : ni leur âge, ni leur langue, ni la couleur de leur peau. Ils parlaient tous anglais, quel que soit leur pays d'origine. C'était inattendu : Dieu n'était nulle part dans la forteresse, et je n'y entendais presque jamais parler arabe.

Pour passer le temps, il m'arrivait de me demander comment les prisonniers me voyaient, et s'ils habitaient la prison comme moi je l'habitais : sans but, incarcérés dans l'ennui. Je ne me suis jamais autant ennuyé que durant ces journées à fixer le plafond éventré de mon bureau.

C'est comme si ce qui m'arrivait était devenu abstrait, indifférent. J'avais l'impression d'avoir tout laissé derrière moi, la vie, l'avenir, les possibilités, les sentiments. Je vivais à côté de moi-même, sidéré par le rêve d'être une personne, et incapable de le vivre. Je ne pouvais pas m'en détacher, mais je n'arrivais pas non plus à me jeter dedans, comme le font tous les hommes, les désespérés surtout.

Les mauvais jours, quand les heures étaient en panne, je me demandais si ce sur-place n'allait pas finir par me faire oublier ma mission. Il y avait quelque chose dans l'ennui qui engloutissait tout le reste, même les idées et les promesses les plus nettes. J'essayais de penser souvent au visage de Salomé pour qu'il ne s'efface pas. Mais comment faire pour la retrouver ? J'avais beau savoir que des filles habitaient dans la forteresse, je ne savais pas par où commencer. Les guerriers n'avaient pas le droit de les fréquenter. Pour ça, il fallait être un mari, un frère ou un père. Moi, je n'étais rien pour personne.

Quand on venait me relever, à la fin de la journée ou de la nuit, je marchais en scrutant les fenêtres à la recherche d'une silhouette. C'était le monde de la guerre : les femmes n'étaient plus que des ombres, des souvenirs dont la forme devenait un peu plus floue chaque jour. Le pire, c'est qu'on s'habituait à vivre ainsi, on trouvait des raisons pour s'expliquer cette absence. Moi, par exemple, je me disais que Salomé devait couler des jours pareils aux miens derrière l'un de ces murs, et qu'elle avait dû se faire à son sort elle aussi. Je me racontais que nous étions tous les deux là, à attendre que ça s'arrête, aussi ignorants que la lampe qui ne sait pas quand la main va l'éteindre.

La situation a changé un après-midi, quand Jack m'a amené une prisonnière voilée de la tête aux pieds. « Tu as de la chance », lui a-t-il lancé tandis que nous suivions un guerrier qui entraînait la pauvre fille dans la cour, vers un baraquement à l'écart du quartier des hommes. Je n'avais jamais mis les pieds dans cette partie de la prison : aucune femme n'avait été prise en otage depuis mon arrivée. La fille s'est laissé pousser à l'intérieur de sa cellule en baissant la tête. Jack a verrouillé la porte et m'a donné la clé : « Tu as beaucoup de chance. Tout cet espace pour toi toute seule, et personne d'autre que le Français pour veiller sur toi. » La fille n'a rien répondu. Elle s'est assise sur un banc dont il ne restait plus que l'armature en métal, et elle a tourné la tête sans que j'aie croisé son regard.

Je n'ai pas cessé de penser à elle jusqu'à l'extinction des feux. J'ai essayé de me remettre en mémoire le peu qu'elle m'avait laissé voir en passant devant moi, sa taille, sa silhouette. Est-ce que c'était Salomé, l'aventurière de Romain ? Le visage de la fille sur la photo se superposait à celui de Stéphanie dans ma mémoire. Qu'est-ce qui avait pu lui arriver, qu'est-ce qu'elle avait fait pour se retrouver en prison ? Et comment est-ce que je pouvais la tirer de là sans nous perdre tous les deux ?

En me posant ces questions, je me suis dit que Stéphanie était peut-être en train de sortir de mon cœur, remplacée par cette fille sous sa burqa. J'ai cherché le nom du sentiment qui était monté en moi tout à l'heure, quand Jack avait fermé la porte à clé. Il m'a semblé que c'était de la pitié. La pitié, disait Maman qui n'aimait pas beaucoup le curé, c'est toujours pour soi. Je crois qu'elle avait raison : on a pitié pour se sentir bien. Je ne pensais presque plus à Stéphanie, ni à la mission de Romain. C'était comme si la fille dans la cellule était arrivée là pour que je répare la mort de Malick.

J'ai attendu une heure très noire de la nuit pour me lever. Les prisonniers hommes respiraient au même rythme, comme s'il ne pouvait y avoir qu'un seul sommeil du condamné. C'était une musique assez effrayante dans les ténèbres qui m'entouraient. J'ai pris mon oreiller et j'ai avancé à tâtons dans le couloir, en tâchant de reconnaître les aspérités sur les murs pour savoir où j'étais. Il n'y avait plus aucun bruit dehors. En traversant la cour, j'ai entendu mon cœur battre dans ma poitrine, sans savoir si c'étaient des battements de peur ou d'espoir.

Le bâtiment des femmes n'avait pas de fenêtre. La cellule de la fille était plongée dans une obscurité immobile, plus lourde encore que dans le quartier des hommes. Je me suis approché des barreaux. Je n'y voyais rien, et j'avais l'impression d'être face à un tunnel sans fin. J'ai passé la main à l'intérieur. Il n'y avait que du vide, et du silence. « Je sais que tu ne dors pas », ai-je dit à voix basse, mais rien n'a bougé dans le noir devant moi. J'ai répété la même phrase, un peu plus fort. Une voiture a démarré quelque part dans la forteresse. J'ai écouté le bruit du moteur se perdre dans le lointain.

J'ai appuyé mon front entre deux barreaux. Même en retenant mon souffle, en me figeant comme une pierre, je n'ai pas senti le moindre mouvement à l'intérieur de la cellule. Est-ce que j'avais vu cette fille passer dans un rêve ? Il m'était déjà arrivé de m'endormir en milieu d'après-midi, à peu près à l'heure où Jack l'avait amenée. Le sommeil de ces éclipses était souvent agité. Mais là, le souvenir de mes sensations était trop vif, trop précis, pour qu'elles m'aient joué un tour.

J'entendais encore l'accent de Jack quand il avait dit à la fille qu'elle avait de la chance. Je me rappelais le pincement de colère que j'avais ressenti, sans savoir pourquoi, quand il m'avait appelé « le Français ». Je revoyais la texture rêche de la burqa, ses plis qui s'étaient un peu soulevés quand la fille avait tourné dans le couloir. Je me suis souvenu d'un détail qui m'avait frappé sur le moment : la peau de ses chevilles était pâle et rougie à la fois, comme si elle avait eu à cet endroit une plaque de chaleur ou une irritation. Je ne pouvais pas avoir rêvé quelque chose d'aussi réel. Même si je n'avais pas vu de fille depuis des semaines, je n'avais pas assez d'imagination.

J'ai sorti la clé et je l'ai tournée dans la serrure. Les gonds étaient rouillés. La porte a fait un bruit de poulie en s'ouvrant, puis tout est retombé dans le silence. Rien ne bougeait dans la cellule. J'ai fait trois pas vers le centre de la pièce et je me suis arrêté, parce que ça me causait une sorte de vertige de ne pas savoir où j'étais. Je ne voulais surtout pas que la fille se rende compte que j'avais peur.

J'ai tourné la tête du côté du banc, en essayant de distinguer les formes autour de moi. L'œil humain ne pouvait pas s'accoutumer à une absence si parfaite de lumière. J'ai murmuré : « Je ne te veux pas de mal. » Il y a eu un mouvement sur ma gauche, et j'ai entendu une voix terrifiée me demander qui j'étais.

Mon cœur s'est mis à cogner encore plus fort. Quelque chose a glissé sur le banc, le noir de la burqa qui filait dans la nuit. J'ai senti que la fille était debout à côté de moi. Ses doigts ont effleuré mes joues, comme pour vérifier que j'étais vrai moi aussi. La douceur de ce contact m'a rempli de tristesse. Je ne voulais pas mentir, lui donner trop d'espoir. La seule chose à faire, la seule en mon pouvoir, c'était de la rassurer : « N'aie pas peur. Tu es en sécurité avec moi. Il faut que tu dormes, maintenant. » Je lui ai donné l'oreiller et j'ai dit que je reviendrais quand le soleil serait levé.

2

Le lendemain matin, on a emmené les hommes, parce que c'était le jour des enregistrements vidéo. Je me suis porté volontaire pour rester. Comme les guerriers détestaient les tours de garde, ça a eu l'air d'arranger tout le monde.

Je suis retourné dans l'autre bâtiment. À travers les barreaux de sa fenêtre, j'ai vu la fille qui dormait par terre, sur le côté, la tête sur mon oreiller. Elle avait les genoux repliés contre le ventre. Ses baskets étaient rangées sous le banc. Le voile remontait jusqu'à la naissance de ses mollets, découvrant le rectangle de peau blanche que j'avais vu la veille. La rougeur avait disparu. Je ne l'entendais pas respirer, mais je voyais sa poitrine se gonfler à intervalles réguliers sous la lourde étoffe noire.

C'est comme ça que j'ai su qu'elle avait pris la place de Stéphanie, tout en douceur. Si Stéphanie avait été là, sous le voile, j'aurais eu envie de la toucher et de l'embrasser. Je ne ressentais rien dans mon ventre. Tout ce qu'elle remuait en moi était logé plus haut, quelque part entre ma gorge et mon cœur. C'était autre chose qu'une obligation, que l'idée de vivre libre, ou même que de l'amour. Elle était sans défense et je ne pouvais pas faire semblant de ne pas la voir.

Je savais qu'il fallait être prudent, parce que les autres pouvaient revenir à tout moment. Il y a eu un coup de vent sur la tôle du toit et la fille a frémi. Quand elle s'est redressée, j'ai vu ses épaules se soulever, puis retomber sous le poids de sa tristesse, comme si elle venait de se souvenir de l'endroit où elle se trouvait. J'ai pensé qu'elle devait se réveiller ainsi tous les jours. Elle s'est retournée, et j'ai vu ses yeux me regarder dans leur petit rectangle de tissu.

Ils étaient verts et immenses comme toutes les mers du globe. Ils savaient, et en même temps, ils demandaient. Il y avait en eux tellement d'attente que j'ai détourné le regard. Elle s'est levée, pieds nus, et elle s'est approchée des barreaux.

Je lui ai dit de ne pas s'inquiéter, parce que j'allais m'occuper d'elle. J'ai promis. « Qui es-tu ? » a-t-elle répondu d'une voix plus grave que la veille. J'ai senti que si je ne regardais pas sa peur en face, tout mon courage allait m'abandonner. Je l'ai regardée. Il n'y avait pas de peur dans ses yeux, juste des profondeurs de vert et des milliards de questions. On aurait dit qu'elle souriait.

J'ai parlé un long moment, parce que j'appréhendais ce qu'elle avait à me dire. J'ai quand même fini par lui demander ce qui s'était passé.

Elle a hésité, et elle m'a raconté comment elle était arrivée ici. Les contacts en France, le voyage, la Turquie, le mariage. Tous les détails que Romain m'avait donnés sur la vie de Salomé. Ensuite, une fois mariée, elle avait appris en quelques jours ce que toutes les femmes doivent connaître de la cuisine et de la couture avant d'avoir quinze ans. Elle portait son voile intégral pour se préserver de la société. Elle s'était retirée de la compagnie des hommes. J'ai pensé que le Professeur aurait été admiratif : c'était le déguisement parfait.

Elle ne savait pas pourquoi sa couverture était tombée. Un soir, son mari était rentré dans un état très agité, et il lui avait dit qu'elle n'était pas celle qu'elle prétendait être. Il avait crié qu'elle faisait l'œuvre du diable, puis il l'avait battue pour son mensonge et son manque de piété. Elle était restée enfermée dans une chambre jusqu'à ce qu'il lui annonce qu'il allait prendre une autre épouse. On l'avait jetée dans la cave d'une maison abandonnée, à l'autre bout de la forteresse. Elle ignorait pourquoi on l'avait transférée ici.

« Enlève ça, lui ai-je dit en montrant la burqa. Tu auras le temps de la remettre si quelqu'un vient. » Elle m'a regardé en silence, puis elle a fait non de la tête. « Je vais l'enlever, mais une fois que tu seras parti. » J'ai dit que je comprenais, et j'ai voulu savoir si elle avait besoin de quelque chose, un habit ou de la nourriture. « De l'eau. »

Je suis allé en chercher, et je lui ai promis que je restais à la prison même pendant mes repos.

Cela faisait environ une demi-heure que j'étais de retour à mon poste quand Jack est arrivé. Comme il était seul, je lui ai demandé où étaient les autres. « J'ai une grande nouvelle », a-t-il annoncé en restant sur le seuil, ses cheveux soulevés par le vent. L'air du dehors était froid et tranchant. Je n'ai pas aimé le silence qui est entré dans la pièce, alors que l'heure du déjeuner était toujours la plus bruyante de la journée. « Tu as été patient, *guy*. C'est le moment de te récompenser. »

La blancheur du ciel m'a saisi au visage, et pourtant je ne voyais le soleil nulle part au-dessus des toits. Le sable parsemé de pierres noires avait l'aspect sinistre d'une neige qui a mal vieilli. En suivant Jack dans les rues, j'ai eu l'impression qu'une épidémie s'était abattue sur la forteresse et que tous les hommes s'étaient enfuis, quand ils n'avaient pas été foudroyés sur place. Nous étions les seuls rescapés, lui et moi, et j'allais passer le restant de mes jours à marcher dans les pas de cet Américain perdu qui me faisait froid dans le dos.

« Comment ça se passe avec la nouvelle ? m'a-t-il demandé en sortant de la ville. Elle va mourir ici. Elle n'est pas idiote, je crois qu'elle le sait. » J'ai fait de mon mieux pour avoir l'air indifférent. « Qu'est-ce qu'elle a fait ? » Jack a haussé les épaules comme s'il était désolé : « Elle travaille pour les services français. Les mecs, je ne sais pas ce qu'ils croyaient en l'envoyant ici. On la fait mariner au cas où il y aurait un peu de cash à récupérer. D'habitude, ils font transiter l'argent par un pays du Sahel. Niger, Mali, Tchad. Mais je n'ai rien entendu à son sujet. S'ils ne nous font pas signe d'ici la fin du mois, elle a son compte. »

J'ai pensé vite, plus vite qu'en Afrique ou à Évreux. J'ai dit que je pourrais peut-être apprendre des choses utiles en discutant avec la fille. « C'est une idée, a-t-il répondu. On en reparlera. »

Nous n'avons plus échangé un seul mot. Jack marchait devant moi et je le suivais, l'image de Malick couché sur le goudron dans ma tête. Nous avons franchi la première ligne de défense, marché encore une bonne vingtaine de minutes, jusqu'à un terrain plus escarpé que les guerriers appelaient la zone H. J'ignorais la signification de cette lettre. Jack a coupé à droite, par un chemin qui remontait en crête. J'étais un peu essoufflé quand je l'ai rejoint. Peut-être à cause de l'effort, ou de ce que nous nous étions dit, je n'ai pas compris tout de suite ce que je voyais.

Tous les guerriers de la forteresse étaient en formation sur la longueur de la piste d'athlétisme qui s'étendait en contrebas, deux cents cagoules noires comme des pions sur un échiquier. Des tribunes en ruine et un grand rectangle de poussière formaient les dernières traces du stade qui avait dû se trouver là avant la guerre. Devant mes frères d'armes, on avait aligné la moitié des pensionnaires de ma prison, à genoux, les mains liées.

Neuf hommes à terre. Un autre groupe, une douzaine de prisonniers, leur faisaient face. Ceux-là étaient debout et avaient les mains libres, mais ils ne bougeaient pas plus. De là où je me trouvais, si on faisait abstraction du reste, ils ressemblaient à des officiels prêts à arbitrer un cent mètres olympique.

Les rangs bien droits, l'immobilité, le silence – tout était mis en scène pour les caméras installées entre les deux groupes de prisonniers, pour que le monde puisse voir. J'étais en train de me demander ce qu'il manquait au tableau quand Jack m'a glissé quelque chose de froid dans la main. Le jour évaporé m'a déchiré les yeux bien plus fort qu'en sortant tout à l'heure, et j'ai compris le rôle qu'on m'avait confié dans cette cérémonie.

« Je ne peux pas. »

Jack a serré sa main très fort sur la mienne, il me l'a écrasée contre le manche épais dont mes doigts faisaient tout juste le tour. « Tu crois que tu ne veux pas. Mais tu peux, c'est toi le couteau. »

« Je ne peux pas. Et même si je pouvais, je ne veux pas. »

« Tu me déçois, *guy.* » Il a lâché ma main comme si j'étais un lépreux et s'est remis les cheveux derrière les oreilles. « Je n'ai pas de temps à perdre avec les gens qui ne savent pas ce qu'ils veulent. »

La lame lourde et immense m'entraînait comme une ancre vers le fond.

« Tu as une minute pour te décider. » Il a montré les prisonniers à genoux. « C'est eux ou toi. »

J'ai repensé au balcon d'Ali, à la masse sombre du plateau qui bouchait l'horizon, aux cloches dans le lointain. Jack ne croyait pas si bien dire : c'était mon tour.

Le contact du tranchant sur mon poignet m'a donné du courage. J'ai commencé à compter dans ma tête, en partant de cinq. Cinq secondes pour savourer je ne sais quelle victoire avant de m'ouvrir les veines.

« Moi je veux bien, *guy.* » Jack s'est raclé la gorge et a craché dans le vent. « Mais pense un peu à la fille. Toute seule, avec deux cents sauvages aux couilles pleines comme le *Hoover Dam.* On dit comment, déjà ? Barrage. Le barrage Hoover. C'est très égoïste de ta part. »

Sa voix était calme. Il suffisait d'un coup sec pour le laisser là avec son assurance. J'ai serré le manche, j'ai pensé à toutes les raisons que j'avais d'en finir, mais je n'ai pas pu. J'avais beau la commander, ma main ne m'obéissait plus. J'ai vu dans les yeux de Jack ce qu'il venait de faire de moi : un clébard apeuré et docile, vivant seulement pour la reconnaissance de son maître. Pour lui plaire et pour lui obéir. Pour ne jamais le décevoir. Vingt ans à se croire un homme, une seconde pour oublier. J'étais devenu le bouledogue de Fouad quand il avait claqué des doigts dans la cour ombragée de Bamako.

Jack a dit « *Yalla, guy* » d'une voix douce. « C'est l'heure de la danse des morts. » Il m'a tendu une cagoule, que j'ai refusée. Je ne voulais pas être l'un d'eux. Je tenais à garder mon visage, mais pas pour me croire humain – pour qu'au moins, la vie me laisse montrer ma sale gueule de chien enragé, bon pour la piqûre.

Je me suis retrouvé en bas, sur le stade, la lame de mon couteau contre la pomme d'Adam d'un journaliste italien avec qui je m'entendais bien depuis mon arrivée. On avait souvent parlé foot et famille. J'ai cherché son nom, mais j'avais oublié tout ce que je savais. Je fixais son crâne, je voyais les gouttes qui roulaient de son visage pour s'écraser dans la poussière, et je sentais la puissance de sa peur remonter dans mes bras. Mon oreille a recommencé à me faire très mal pour la première fois depuis Évreux. C'est en me disant que cet homme devait être en train de penser à ses enfants que j'ai compris : c'était moi qui tenais le couteau, mais il n'y avait aucun doute, entre lui et moi, sur celui qui était le plus mort.

Je lui ai dit de ne pas s'inquiéter. Ça m'a effrayé, parce que je me suis souvenu d'avoir prononcé les mêmes mots devant la fille. Je les ai dits quand même : c'était juste un petit théâtre pour terroriser l'opinion publique et les gouvernements des pays en guerre contre le califat. Ces mots de réconfort sont sortis tout seuls, et puis ils ne me coûtaient pas cher. J'ai essayé de sourire.

Même si le journaliste ne me voyait pas, je l'ai fait pour que les mots que je lui disais sonnent plus vrais.

Jack, immobile à côté de l'une des caméras, ne me quittait pas des yeux. Il les a fermés un instant, et j'ai compris qu'il me donnait son feu vert. J'ai bloqué ma respiration pour n'avoir plus en moi que le vide dont sont faites les brutes. Tout s'est figé, le ciel, la lumière, le souffle du vent. Je n'ai plus rien entendu. Je regardais droit devant moi. La lame a heurté quelque chose de dur, alors j'ai serré plus fort le manche en imaginant que c'était ma chair qui s'ouvrait, mes os qui craquaient, et mon sang qui coulait sur mon avant-bras. Je voulais mourir, mais je ne mourrais pas. Plus je serrais, plus je mettais de force dans ma main, plus la vie s'accrochait à moi comme une nausée.

J'ai fini le travail, avec cette horreur d'être vivant qui déchirait mes entrailles. Jack me fixait toujours du même air calme. Je lui ai fait mes yeux de clebs, mes yeux de chien battu. Je n'avais pas la force de continuer. Il a souri, et sa tête a eu un petit mouvement de côté qui voulait dire : au suivant.

On m'a versé de l'eau sur les mains et sur la tête, comme si j'étais un nouveau-né et que c'était mon baptême. Le jour était plus blanc que jamais. J'ai entendu les guerriers derrière moi crier quelque chose, mais je n'ai pas compris. Quelqu'un m'a mis la main sur la nuque. C'était Jack, et il m'a semblé qu'il me regardait avec une sorte de tendresse. J'ai sursauté. Ça l'a fait rire, et sa bouche ouverte dans la clarté de midi a fait comme une grande entaille dans ma poitrine.

« La vidéo sera en ligne dans une heure, a-t-il dit en m'entraînant sur le chemin de la forteresse. Ce soir, tu seras sur tous les écrans du monde. » J'ai hoché la tête encore une fois sans comprendre. Nous sommes arrivés en haut de la crête, et il s'est retourné pour jeter un dernier regard aux cadavres vautrés dans la poussière et le sang. « Tu sais pourquoi on appelle ça la zone H ? » Je n'ai rien répondu. « H comme holocauste. Le grand sacrifice, *guy*. C'est ici qu'on offre les ennemis à la colère du Tout-Puissant. »

Ses paroles mélangées à l'odeur du sang me donnaient envie de vomir, et en même temps je sentais que plus rien ne voulait sortir de moi. Je tenais encore le couteau, j'aurais pu le planter dans la gorge de Jack, mais j'étais tétanisé par sa voix. Aucune partie de moi n'était plus capable de prendre une décision.

J'ai regardé une dernière fois les pierres, la poussière et le sang. J'ai répété ces trois mots dans ma tête, LE GRAND SACRIFICE, et je les ai vus se dresser comme des tombes géantes sur un stade en ruine. J'ai levé la tête vers le ciel. Il était vide, sans limites – ni drone bien de chez nous ni œil de Dieu pour me foudroyer. J'étais devenu un ennemi, pourtant. Je ne pouvais plus me cacher derrière ma passivité de gardien ; j'étais un bourreau, l'un de ces ahuris perdus et furieux qui se rêvaient en anges exterminateurs, messagers d'une sainte colère. Au nom de qui ? L'absence de Dieu était bien la dernière chose qu'on pouvait ignorer dans ce pays battu par les vents.

J'ai scruté encore le blanc du ciel et j'ai essayé de me convaincre que Dieu était peut-être le maître ultime de la *taqiya*. Il avait fait semblant de déserter, en grand dissimulateur, pour éprouver le cœur des hommes. Le désert était le lieu de cette épreuve, le pays où Il se cachait. Je savais que certains de mes frères, pas les plus nombreux, en étaient persuadés. Ils croyaient à un Dieu déserteur. Les autres n'y pensaient pas, ils n'avaient que la haine de la vie dans leur tête et un oubli terrible dans leurs bras. C'était difficile d'en vouloir aux uns ou aux autres. Je me disais, moi, que Dieu ne se cache pas dans le désert, ni nulle part. Le Professeur, qui s'y connaissait, disait qu'il n'y a qu'un seul imposteur. « *Al-dajjal.* » J'en avais maintenant la confirmation : les hommes sont seuls sur Terre avec le diable qui est leur prête-nom.

J'étais fatigué et j'avais mal à la tête en arrivant à la prison. Je me suis endormi là, sur mon bureau, sans avoir vérifié si les autres prisonniers avaient été ramenés dans leurs cellules. J'ai rêvé d'Évreux et du plateau, de mille papillons dans le soleil, mais je ne sais pas de qui. Il faisait déjà nuit quand je me suis réveillé. Je me sentais écrasé par la fatigue et mon poignet me lançait. Avant d'avoir repris mes esprits, j'ai pensé que j'étais peut-être tombé malade. C'est le regard des prisonniers quand je suis parti faire ma ronde qui m'a tout remis en mémoire. Meurtrier de dix hommes, neuf plus un, sur deux continents : je n'avais plus que la mort dans le sang.

Il fallait que je parle à quelqu'un.

Les lumières du bâtiment des femmes étaient encore allumées devant sa cellule. J'ai d'abord remarqué la burqa accrochée à un clou dans le mur, puis j'ai vu la fille qui me regardait, le visage découvert. Elle ne ressemblait pas à Stéphanie, et je ne me suis pas demandé si elle était belle ou pas. Elle était tout ce que les hommes n'étaient pas.

Parce que le silence me pesait et pour ne pas avoir à répondre à ses questions, je lui ai demandé pourquoi elle avait accepté de faire ça. Il fallait bien que je dise quelque chose. « Faire quoi ? » a-t-elle répondu, en s'approchant des barreaux. J'ai remarqué qu'elle avait remis ses chaussures et je lui ai dit que Romain m'avait envoyé la chercher. Elle a gardé le silence, mais ça ne m'a pas gêné cette fois. « Je l'ai rencontré en Afrique. Au Mali. »

Les lumières se sont éteintes.

« Ça n'est pas vrai », a-t-elle dit dans le noir. Je l'ai entendue s'asseoir sur le banc. Il y a eu encore un silence, puis je lui ai demandé ce qu'elle voulait dire. « Romain ne t'a pas envoyé pour me chercher. » Pourquoi, alors ?

Elle a eu un sourire triste.

« Tu ne vois pas ? Tu es ici pour que je ne meure pas toute seule. »

3

J'ai tué encore, animal bien dressé. J'ai continué à tuer chaque fois que Jack me l'a ordonné.

La nausée a duré trois jours, le temps de la honte et du remords – le temps que ma conscience a mis à mourir. À quoi bon une conscience d'homme pour des actes de bête ? Je me suis senti coupable, mais pas de ces meurtres accomplis dans un état second, comme si on m'avait mis sous hypnose. Je m'en voulais de m'être mis tout seul sur le chemin pour en arriver là.

Personne ne m'avait forcé à partir de France : c'était un fait. En même temps, est-ce qu'on m'avait laissé le choix ? Je ne voyais pas pourquoi j'aurais dû rester à Évreux, malheureux mortel, pauvre d'argent et d'amour. J'avais beau chercher, je ne voyais pas pourquoi j'aurais dû attendre de croiser Stéphanie dans un rayon de l'hypermarché, enceinte, poussant son chariot de bonne femme avec un sourire béat aux lèvres. Et même si elle m'était revenue : je ne voulais pas emmener moi-même mes rêves à la casse et finir comme Maman, prostrée jusqu'à la fin devant le même coin de table. Je ne voulais pas ronger mon malheur comme un vieil os.

À cause du succès de la vidéo sur Internet, les chefs du califat ont décidé que toutes les exécutions d'Européens me seraient désormais réservées. C'est Jack qui me l'a annoncé : « Tu viens, *guy*? Il y a encore du travail pour toi. » La question n'appelait pas de réponse : je n'avais ni à accepter ni à refuser, mais à faire ce qu'on me demandait sans réfléchir, comme le clébard à qui on dit : « Cherche ! Attaque ! »

Ce que je pensais de tout ça n'avait aucune importance; le dégoût qui me coupait la faim non plus. Il n'y avait rien en dehors des ordres et des récompenses. Tant que j'obéissais aux ordres, la fille resterait en vie et on me laisserait m'occuper d'elle. Tant qu'elle était vivante, je pouvais me raconter que nous allions nous en sortir, et que de la bête je n'avais en réalité que le déguisement – pas l'âme.

Au fil des jours, j'ai trouvé mon rythme de croisière, comme dans un jeu vidéo. Je faisais mes rondes à la prison, Jack m'appelait à la zone H, toujours en début d'après-midi, et je faisais mon travail. Il m'avait fourni de quoi bien le faire : un nouveau couteau, que j'avais appris à aiguiser en regardant un cuisinier, et une paire de bottes en caoutchouc, que je lavais au chlore pour qu'elles ne prennent pas l'odeur du sang.

Je n'avais rien, dans la vie de tous les jours, contre cette idée d'avoir mes propres outils et d'en prendre soin. Personne d'autre n'y touchait, ce qui me donnait une certaine importance à l'intérieur de la forteresse. On me reconnaissait et on me saluait dans la rue. Les matins de sacrifices, sur le stade, les guerriers du califat chantaient mon nom comme si j'étais le joueur vedette de leur équipe. Ils criaient « Le Français ! Le Français ! Le Français ! », très vite et très fort. C'était quelque chose. Mon cœur se gonflait, je laissais l'adrénaline bondir dans mes veines pendant quelques secondes, puis je donnais un coup sec du poignet, et j'entendais derrière moi les cris qui se transformaient en rugissements de victoire.

Je ne me faisais pas d'illusions. Je savais qu'on ne verrait que le monstrueux de mes actes, toutes les vies que j'avais prises, pas la seule que j'avais essayé de sauver. Personne ne chercherait à me comprendre, pas plus que moi-même en tout cas : j'étais une cause perdue d'avance. D'ailleurs, Romain ne me faisait pas signe. C'était peut-être vrai : il m'avait envoyé uniquement pour tenir compagnie à une morte en sursis.

Quand je demandais à Jack s'il avait reçu des nouvelles du gouvernement français à propos d'une éventuelle rançon, il disait qu'il ne savait rien, et il changeait de sujet. Le délai dont il m'avait parlé était dépassé depuis longtemps. Certains jours, je me disais que c'était plus qu'une récompense, que Jack me faisait une grande faveur en repoussant l'exécution de la fille. Il s'imaginait peut-être que sa présence m'aidait à me sentir moins seul et qu'elle m'évitait de devenir fou. D'autres fois, il me semblait au contraire que Jack faisait durer le plaisir, par pure cruauté. C'était impossible d'en avoir le cœur net.

La nuit venue, j'arrivais à ne plus voir le monde avec des yeux serviles et je réfléchissais à un plan pour nous enfuir. J'y pensais parfois aussi en aiguisant mon couteau, ou assis à mon bureau aux heures vides de la journée. Je nous imaginais remonter à travers les champs de blé mort, vers la frontière turque et Urfa où Romain nous attendrait ou ne nous attendrait pas, ou bien plonger au sud-ouest en direction du Liban. Je n'avais pas l'ombre d'une idée pour sortir de la forteresse. Et ensuite, aucune route ne serait sûre, parce que le califat les contrôlait toutes. On entendait dire depuis quelques jours que des commandos américains s'étaient infiltrés dans la région et que nos volontaires étaient affectés en masse à la surveillance des voies stratégiques.

Qui sait à quoi rêvent les animaux qui tuent parce que c'est survivre ? Moi, il n'y avait qu'une chose qui m'empêchait de m'endormir et qui me réveillait en pleine nuit : pas le souvenir des tueries, mais la possibilité qu'on me demande de la tuer, elle, et que du même coup j'aie tué tous les autres pour rien.

Un après-midi vers la fin février, Jack est venu me voir. Il avait l'air fébrile. «Joyeux anniversaire !

a-t-il crié avec son accent américain. Tu te fais vieux, *guy*! » Je l'ai remercié. En regardant le calendrier, j'ai vu que c'était en effet le jour de mes vingt et un ans. Je me suis demandé qui d'autre s'en souviendrait, à Évreux ou à Bamako, mais Jack était déjà en train de m'entraîner dehors. Il ne tenait pas en place, comme un gamin obligé de garder un secret trop grand pour lui. La veille, les batteries sol-air de la forteresse avaient abattu un avion de la coalition, dont le pilote avait été capturé. Je me suis demandé si ça avait un rapport. « Il faut que tu voies ça, a répété Jack en chemin. Quelque chose me dit que tu te souviendras longtemps de cet anniversaire. »

Nous avons pénétré dans une imposante bâtisse où je n'avais jamais mis les pieds. Nous avons traversé deux pièces, puis monté un escalier. Un garde nous attendait à l'étage. Il s'est incliné pour saluer Jack, avant de nous conduire jusqu'à une porte sur laquelle était gravé un soleil. Le garde a frappé trois coups. La porte s'est ouverte, on nous a fait entrer.

La pièce était tellement vaste qu'elle m'a rappelé le préau de mon école primaire, avec ses hautes fenêtres sur le côté. Elle avait dû être construite à cheval sur deux bâtiments voisins. Il y avait un attroupement de guerriers dans le fond, les épaules plus relâchées que d'habitude. Ils ressemblaient à n'importe quels badauds arrêtés devant un accident de voiture. Jack s'est retourné en souriant, et il a dit : « Ils partent demain sur le front est, on leur a fait un petit cadeau. Toi aussi tu y as droit. »

Les autres se sont écartés pour nous laisser passer et j'ai vu les filles, nues contre le mur, visage masqué par un morceau de tissu qu'on leur avait attaché à la hâte autour de la tête. Elles se cachaient le corps comme elles pouvaient, du bras et de la main, en repliant une cuisse sur l'autre. On devinait qu'elles pleuraient en silence.

« Choisis, m'a murmuré Jack. Tu peux en prendre deux, si ça te dit. Elles sont à toi pour la nuit. » J'ai demandé d'où elles venaient. Jack m'a regardé avec étonnement, et il a haussé les épaules. « Qu'est-ce que tu veux que j'en sache ? À ta place, ce n'est pas la première question qui me serait venue à l'esprit. » J'ai insisté. Je lui ai demandé si elles étaient payées, et si leur nudité était conforme à la voie du Seigneur. « Payées ? a-t-il répété, secoué par un fou rire. Vendues, oui ! Dieu se moque de leur sort et de ce qu'on pourra bien leur faire. » Il a repris son sérieux : « Je pensais te faire plaisir, mais si tu ne veux pas ta part, j'en connais d'autres qui ne se feront pas prier. »

Il s'est éloigné pour répondre au téléphone, tout en gardant un œil sur moi. Un guerrier a marché droit vers l'une des filles et l'a attrapée par le poignet. Le bras de la fille m'a frôlé quand ils sont sortis. J'ai hésité à me mettre en travers, mais le regard de Jack me paralysait. Il ne fallait pas faire de vagues. La vie de cette pauvre fille était comme toutes celles que j'avais volées à mes victimes : une simple monnaie d'échange, pour que ma prisonnière puisse continuer à vivre.

Je suis rentré et je me suis couché sans aller la voir. Le sommeil m'a emporté comme une feuille morte.

Le lendemain matin, j'ai pris une douche et je suis allé à sa cellule avant d'avoir inspecté le quartier des hommes. C'était décidé : nous allions nous enfuir le soir même, pour profiter du départ des guerriers à l'est, où les peshmergas avançaient avec les armes et l'argent de l'Occident. Il resterait les patrouilles régulières, et nos chances de franchir la zone de défense étaient minces. Il faudrait beaucoup marcher, vite, dans le froid de la nuit. Il y avait des mines un peu partout autour de la forteresse. Malgré tout, c'était l'occasion ou jamais. Nous avions le choix entre partir maintenant ou rester jusqu'au bout.

J'ai senti l'air vide en entrant dans le bâtiment des femmes. Je n'ai pas voulu y croire, mais j'ai su tout de suite. La porte était ouverte, le banc renversé, et elle n'était pas là.

J'ai couru à l'état-major, où je suis monté au bureau de Jack. On m'a dit qu'il était en rendez-vous. Je suis entré quand même, et je l'ai trouvé en train de regarder une vidéo sur son ordinateur. De la dance ringarde comme celle qu'on entend dans les boîtes d'Évreux faisait grésiller les enceintes. Jack a ordonné au garde de déguerpir, de refermer derrière lui, et d'aller me remplacer à la prison.

« Viens voir, m'a-t-il dit en montrant son écran. Je suppose que tu es trop jeune pour connaître. » Je lui ai demandé où était ma prisonnière. Il ne quittait pas l'écran des yeux : « Viens voir. C'est génial. »

Sur la vidéo, des filles et des garçons en maillot de bain dansaient autour d'une piscine géante, en forme de guitare. « Ça s'appelle *The Grind*, a repris Jack. C'est toute ma jeunesse. » Il y avait beaucoup de gros plans d'abdominaux, de pectoraux, et de gros seins qui ballottaient au rythme de la musique. « Regarde-moi ces petites putes ! a dit Jack. Elles savent ce qu'elles veulent. » J'ai répété : « Où est ma prisonnière ? » Jack m'a regardé en souriant. « *Ta* prisonnière ? Quelle prisonnière ? » J'ai répondu qu'il savait très bien de qui je parlais. « Regarde par la fenêtre. » Mais je n'étais pas d'humeur à admirer le paysage, et je le lui ai fait savoir. Il m'a coupé pour dire que j'étais surtout en flagrant délit de désertion, puisque j'avais quitté mon poste à la prison et qu'elle n'était plus surveillée par ma faute. « Les prisonniers se gardent très bien tout seuls. » Il s'est levé, s'est installé à la fenêtre, et il a répété le même ordre : « Regarde donc. »

Son corps nu était allongé de tout son long sur une dalle de ciment, à plat ventre. Les cheveux, collés par le sang et la poussière, cachaient son visage. « Tu ne l'as pas reconnue hier soir ? Elle est passée juste à côté de toi. Ensuite, les choses ont un peu dégénéré. Je crois qu'elle n'était pas très coopérante. Le gars lui a tiré une balle dans la tête, comme ça. C'est dommage. Personnellement, je trouve que c'était un joli morceau. »

Je ne sais pas si c'étaient ses mots, son sourire, mais j'ai eu l'impression que les murs de la pièce s'écroulaient. Je lui ai ceinturé le bras, par-derrière. Je l'ai forcé à se pencher en avant et je l'ai poussé sur le radiateur la tête la première. J'ai pris son pistolet, un semi-automatique du genre de ceux que portaient les copains du fils Bianconi.

Jack s'est assis contre le radiateur pour reprendre ses esprits. Il a touché d'abord la fonte, comme si elle faisait partie de lui, puis la plaie ouverte sur son crâne, juste au-dessus du front. Il souriait toujours ; le sang coulait comme de la rouille au milieu de sa figure. « Ta copine s'en est bien tirée, tu sais. Si l'autre con avait gardé son calme, crois-moi, elle aurait eu droit au mur et aux pierres. »

Je lui ai balancé un coup de pied dans la mâchoire. Il s'est mis à saigner de la bouche, mais il souriait toujours. Je lui ai donné un autre coup de pied, sur la tempe, et je lui ai demandé comment elle s'appelait. « Il n'y a pas de doute, a-t-il dit en crachant du sang. Tu es bien des nôtres. » Je me suis accroupi pour être à hauteur de son visage : « Dis-moi son nom ou je te tue. »

Il a ri. Une quinte de toux a secoué sa poitrine, et il a craché encore beaucoup de sang. J'ai pris le pistolet par le canon. J'ai frappé de toutes mes forces, avec la crosse. J'ai donné une bonne dizaine de coups. Les joues et les pommettes de Jack ont commencé à ressembler à une sorte de pulpe, comme celle que Maman utilisait pour mettre ses pâtes en sauce. Je ne sentais plus que la haine en moi. Je voulais réduire tout ce qu'il était en bouillie.

« Qu'est-ce que ça peut te faire ? Quelle différence ça fait, comment elle s'appelait, à quoi elle ressemblait ? » Il pissait le sang, et il ne voulait pas fermer sa gueule. J'ai répondu que c'était mon problème en continuant à le frapper. « Voilà. J'ai vu tout de suite que tu étais un tendre. Pourquoi crois-tu qu'on t'a mis à la prison ? Tu penses que tu es désespéré, mais au fond de toi tu ne peux pas t'empêcher d'avoir de l'espoir. Tu as besoin de penser que tu es un homme. Tu mégotes, sur tout et n'importe quoi, tu calcules les conséquences, le pour et le contre. C'est ça, la différence entre toi et moi. Tu ne sais pas qu'on n'est rien. Cette guerre, toute cette merde au nom de Dieu, du pétrole et de la liberté, c'est tout juste un dérèglement de plus dans la grande pagaille de l'univers. Imagine un peu comme ça doit être microscopique, vu de là-haut : une bataille d'insectes à l'échelle du cosmos. »

Il a repris son souffle. Je voyais qu'il souffrait. « Et tu veux que je te dise le plus drôle ? C'est toi le cœur pur, mais c'est moi qui ai les mains propres. Tu ne trouves pas que c'est la meilleure ? Je n'ai jamais tué personne, moi. Tu peux me croire. »

La tête me tournait : «Pourquoi?» Tout ça n'avait aucun sens. Il m'a répondu que la vie était trop vide, chez lui en Amérique. Il y avait un moment où on étouffait, où on se lassait, même de *The Grind* ou de *Call of Duty*. C'est pour cette raison que les jeunes finissaient par disjoncter et tirer sur tout ce qui bouge dans les écoles et les centres commerciaux. Lui, il préférait l'exotisme. Il n'avait pas besoin de se raconter d'histoires, mais il voulait de l'aventure, et de l'action. C'était mon frère, lui aussi.

«Tout ça, a dit Jack, ce n'est qu'un grand cirque. *The dance of the dead*. Toi, moi, tous les autres, on n'existe pas. Pas pour de vrai. C'est dans ta tête, *guy*. Toute la réalité est dans ta tête.»

J'ai appuyé sur la détente, sans y penser. La balle est ressortie par l'arrière de son crâne et a ricoché sur une poutre en métal avant de briser la fenêtre. C'était déjà fini : il était mort avec aussi peu de conséquences sur le cours du monde que le berger allemand des Bianconi.

Jack souriait encore quand j'ai quitté la pièce. Le couloir était désert, alors j'ai cherché l'armurerie. J'ai pris une kalach' et des cartouches.

En bas, dans la cour, elle était toujours là. Je suis passé à côté de son corps étalé comme un tapis sur la dalle de ciment, mais je n'ai pas eu le courage de la retourner pour regarder son visage. Je m'attendais à recevoir une rafale au bout de quelques pas. Au lieu de ça, j'ai marché jusqu'à la sortie de la forteresse sans croiser personne. Il y avait une voiture abandonnée sur le trottoir. J'ai regardé mon reflet dans la vitre, et je n'ai pas reconnu l'homme qui me regardait avec derrière lui une mer de fantômes.

4

Je ne sais pas où je suis.

Il fait froid, et je n'ai pas vu la lumière du jour depuis qu'on m'a mis ici. Voilà tout ce que je sais. C'est un mot intéressant, *ici*, quand on n'a pas la moindre idée de l'endroit où on se trouve. Ça permet de laisser courir son imagination. Le froid, les néons à la place du soleil, l'humidité qui vous rentre dans les os : jusqu'à preuve du contraire, rien ne me dit qu'on ne m'a pas rapatrié à Évreux.

Après mon départ de la forteresse, j'ai marché plein sud pendant des heures, face au vent glacé. Je n'avais qu'un anorak sur le dos et je rêvais de chaleur. La première nuit, j'ai eu tellement froid que j'aurais voulu sauter sur une mine pour ne plus ressentir la morsure du vent. Je me suis laissé engourdir, j'ai senti les battements de mon cœur s'espacer, et je me suis dit qu'il finirait par s'arrêter si j'arrivais à m'endormir. Je ne pouvais pas demander mieux. J'ai essayé encore et encore, mais le froid finissait chaque fois par me réveiller.

Malgré la fatigue, il a fallu que je me lève et que je me mette à courir, pour faire circuler le sang. Mes pieds avaient commencé à geler.

Le lendemain vers dix heures, je suis entré dans un village dont les habitants avaient fui. J'ai trouvé à manger, des couvertures, un lit. Il y avait aussi une bonbonne de gaz et un four en état de marche. Je l'ai allumé, j'ai laissé sa porte ouverte pour que la chaleur se diffuse dans la pièce, et je me suis couché. Je crois que je n'ai jamais aussi bien dormi de ma vie.

Au milieu d'un rêve, j'ai senti quelque chose de froid et de désagréable sur mon front. J'ai ouvert les yeux. Malgré l'obscurité, j'ai reconnu la crosse repliable d'un M16 au-dessus de moi.

Je connaissais par cœur les différences entre cette arme et la kalach que j'avais prise à l'armurerie. À la forteresse, les deux modèles avaient leurs partisans. Il y avait ceux qui préféraient les M16 livrés par les Américains au début de la guerre. Ils disaient que c'étaient des fusils plus précis, et qu'ils avaient une plus longue portée. Les autres leur répondaient que la kalach ne s'enrayait jamais. Cette arme-là, qui était prête à me faire éclater la tête, il n'y avait aucun doute qu'elle était de fabrication américaine, tout comme le soldat qui me tenait en joue.

Je n'ai pas eu le temps d'avoir peur ni de dire un mot. J'ai senti une piqûre très profonde dans la cuisse, et je me suis rendormi.

Je serais malhonnête si je disais que la suite a été désagréable. Chaque fois que j'ai repris conscience, on m'a fait une piqûre. Je n'avais pas les idées claires, mais ça m'a donné l'impression d'être en de bonnes mains, et que je n'avais plus à me soucier de moi-même. Ceux qui m'avaient enlevé savaient ce qu'ils faisaient, je sentais qu'ils avaient des projets précis pour moi. Ils voulaient que je dorme : ça m'allait très bien.

Les rares instants où je me suis réveillé pendant le voyage, j'ai entendu le ronronnement d'un réacteur, comme dans l'avion pour Bamako. Des gens parlaient anglais autour de moi, ils avaient l'air de bonne humeur. J'ouvrais les yeux et je voyais des formes floues dans la blancheur du ciel. La conversation s'arrêtait, on me faisait une nouvelle piqûre, et je replongeais dans le sommeil en ayant à peine eu le temps de me demander ce qu'ils attendaient pour me balancer dans le vide.

C'est à la descente de l'avion que les choses se sont gâtées. D'abord, toutes ces drogues m'empêchaient de tenir debout. On a dû m'évacuer sur une civière. Ensuite, même si je m'y attendais un peu, j'ai bien cru que j'allais étouffer sous la cagoule qu'ils m'ont mise sur la tête, comme les soldats du cheikh dans le désert malien et le copain du fils Bianconi. J'ai eu tout le temps, pendant la dernière partie du voyage, de penser à cette fille et d'imaginer combien elle avait dû m'en vouloir de ne pas avoir été là pour elle. J'étais sûr d'une chose : elle savait qu'elle allait mourir, parce qu'elle avait déjà décidé de ne pas se laisser faire.

Le trou dans lequel ils m'ont enfermé en arrivant ne devait pas faire plus de deux mètres carrés. J'avais à peine la place de m'asseoir, et c'est tout juste si je pouvais allonger les jambes : c'était un cercueil haut de plafond. Un soldat est passé me voir, puis il est revenu avec un civil qui m'a dit en français que je ne ressortirais pas d'ici vivant.

Il avait l'air effaré et m'a demandé comment c'était possible d'avoir fait ce que j'avais fait. Je ne savais pas quoi répondre, alors j'ai regardé mes mains et j'ai touché la peau de mon visage. J'ai eu une impression étrange en comprenant qu'on m'avait lavé et mis des habits propres. Ce n'est plus qu'un vague souvenir, mais il me semble qu'au tout début j'ai éprouvé de la reconnaissance pour mes gardiens.

Puis les choses se sont dégradées. D'abord, ils ne m'ont rien donné à manger pendant un temps qui m'a paru interminable. Quelques heures ? Un jour, deux jours ? La faim me faisait mal à la tête, j'avais des brûlures d'estomac, et j'ai fini par me demander s'ils ne m'avaient pas laissé dans cette boîte pour que j'y crève à petit feu. J'étais prêt à avouer tous les crimes de la terre pour qu'ils me laissent sortir, même si je savais que les miens suffiraient à leur bonheur.

J'ai appelé des centaines de fois. Les murs devaient être tellement épais que ma voix n'a rencontré aucun écho, aucune preuve que le monde continuait au-delà de ce béton. Tout s'arrêtait là. Si j'avais voulu, j'aurais pu me raconter que rien n'existait en dehors de ma boîte. C'était tentant d'échapper ainsi au fait d'être coupable. Il suffisait de décider que mes pensées n'étaient que des pensées, mes souvenirs que des souvenirs.

Si le monde était ramassé tout entier dans ces deux mètres carrés, je n'avais aucune raison de croire que j'avais aimé Stéphanie, ou que j'avais tué qui que ce soit. Je m'étais fait des films dans ma tête d'idiot. Il n'y avait pas d'amour, et il n'y avait pas de mort. Tous ces mirages étaient promis à disparaître avec moi. Il n'y avait plus qu'à attendre que je meure de faim, ou que je devienne fou.

J'ai hurlé encore, sans m'arrêter, comme un nourrisson abandonné par sa mère. J'ai hurlé à m'en faire craquer les coutures du cerveau. C'est ma voix qui a fini par mourir, et je me suis endormi.

À mon réveil, je me trouvais dans une autre cellule, beaucoup plus spacieuse. Il y avait une bouteille d'eau, du lait et des céréales sur une table. Le civil qui parlait français était assis là, un genou croisé sur l'autre, avec l'expression bienveillante d'un médecin de campagne. Il m'a dit de prendre mon temps pour me lever et de manger doucement. J'ai été submergé par la même reconnaissance canine que le jour de mon arrivée, et j'ai obéi.

« Il n'y a aucune raison que tu retournes dans ce tombeau. » Sa voix était douce et sans accent. Entre deux cuillerées de corn-flakes, je lui ai demandé s'il était français. « On va parler de toi, si tu veux bien. Tu veux bien ? » J'ai fait oui de la tête et il a ouvert son ordinateur portable pour lancer Explorer. « Ton nom. » Pendant une seconde, j'ai eu cette vision du ciel vide au-dessus du plateau, depuis la fenêtre de chez Ali. « Tu ne t'en souviens pas ? Je suppose que ça n'est pas un problème, puisque tout le monde te connaît. »

Il a orienté l'écran pour que je puisse mieux voir : « Je vais te le dire, moi, ton nom de scène. Tu t'appelles Abou Hassan, alias le Français. Ça ne te rappelle toujours rien ? » Sur la vidéo qui défilait, j'ai reconnu tout de suite les pierres et le sable de la zone H. J'ai pensé avec tristesse que l'endroit était bien réel. La caméra a avancé de quelques mètres et je me suis vu, la lame sur la gorge du journaliste italien. Ça m'est revenu : il s'appelait Lucca. Ce n'est pas son visage qui m'a fait horreur, mais le mien. Je souriais. Il y a eu un gros plan sur le journaliste au moment de l'exécution, puis la caméra est revenue sur moi. Mes lèvres remuaient et je souriais encore. Pendant les trois minutes que durait la vidéo, je n'ai pas cessé de sourire. Le compteur de vues dépassait les cinq millions.

« Pourquoi est-ce que tu souris comme ça ? a demandé le civil en pausant la vidéo sur mon visage. Ça te procurait tellement de plaisir de décapiter ces gens ? » J'ai répondu que j'avais souri pour rendre ma voix plus douce, pour calmer l'angoisse de ceux qui allaient mourir. J'ai expliqué que je leur mentais en disant que c'était juste une mise en scène. « Et tu crois que ça leur a fait du bien ? » Il n'y avait pas moyen de le savoir, mais je l'espérais. C'est la seule idée qui m'était venue à l'esprit sur le moment.

Il m'a fixé d'un air dubitatif, puis il est revenu à la charge : « Comment est-ce que tu t'appelles ? Pour de vrai. » J'ai répondu qu'on m'appelait « le Français ». Il a dit que c'était un début, et il a ouvert d'autres fenêtres en cascade sur son navigateur. D'autres vidéos, des articles dans plusieurs langues avec ma photo en capture d'écran, des sites Internet dédiés, des appels au meurtre, des fans-clubs. On m'avait donné toutes sortes de noms, mais trois revenaient plus fréquemment : « Le boucher aux yeux bleus », « le bourreau normand », et « le démon d'Évreux ». Le civil a fermé son portable : « Pas très original, je trouve. Il faudra qu'ils se creusent un peu plus pour le titre de ton biopic. »

Une lueur d'effroi est passée dans ses yeux, et je me suis aperçu que j'étais en train de sourire comme sur la vidéo. J'ai serré les dents. J'ai répété qu'on m'appelait « le Français », c'est tout ce que j'avais à dire. Le reste me semblait hors de propos.

« Mais pourquoi ? » On aurait dit que rien ne lui importait plus que ça. Comprendre ce qui me faisait moi était une question de vie ou de mort. « Les Arabes et les Noirs, à la rigueur. Disons que ça s'explique. Toi, tu es blond aux yeux bleus. Tu avais un bon travail. Tu n'as jamais eu de problème avec la police à part cette ridicule histoire de base aérienne, et tous ceux qui te connaissent disent que tu as la tête sur les épaules. Alors je te demande : qu'est-ce qui te fait croire qu'il y a un bénéfice quelconque à égorger ton prochain ? Et devant une caméra, par-dessus le marché ? »

De guerre lasse, j'ai fini par dire qu'il y avait une fille. « C'était ma prisonnière. Une Française. Demandez aux Français, ils confirmeront. J'ai voulu la protéger. » Il a froncé les sourcils : « En tuant tous ces gens ? » Je savais bien qu'il ne pouvait pas comprendre, encore moins accepter, mais j'ai essayé de lui expliquer que je voulais être là pour elle. « Ce n'est pas pour moi que j'ai obéi aux ordres. Moi, ça m'était égal qu'on me jette en prison, j'y étais déjà. Ça m'était égal qu'on me tue. J'ai fait ça pour qu'elle ne soit pas seule. »

« On peut savoir comment elle s'appelle, cette fille ? » J'ai répondu qu'elle s'appelait Salomé et qu'elle était morte. « Évidemment. Et elle avait un nom de famille ? C'est toi qui l'as tuée ? »

Il commençait à m'ennuyer, avec son besoin de tout savoir, sa volonté de me mettre dans une case. On n'était pas au zoo, quand même. Je trouvais ça insultant. Moi, j'étais qui j'étais : je n'avais de compte à rendre à personne. Même à moi-même, je ne devais rien. Tant pis si ça ne lui plaisait pas. Il a incliné la tête et m'a regardé de son air mou : « Tu n'as plus rien à dire, alors ? » J'ai répondu que j'avais sommeil. Ça l'a d'abord fait rire, parce qu'il a cru que je le provoquais, mais quand j'ai bâillé sa bouche s'est tordue dans une expression de dégoût qui m'a fait sourire à mon tour.

C'est vrai que je n'avais pas de haine auparavant, que j'avais tué ces hommes sans les haïr. Mais là, en voyant ce type si soucieux de faire son rapport, j'ai senti monter en moi l'envie de détruire tout ce qu'ils étaient, eux et lui. Je les ai haïs d'être ceux qui savent, qui parlent et qui écrivent – à propos des gens comme moi qui ne savent rien. Le combat était trop inégal. Ils nous tuaient sans fin, avec leurs belles paroles, leurs bons mots. Sans eux, nous n'aurions peut-être pas su que nous étions malheureux. Ils nous assassinaient à coups de jugements et de compassion. C'était leur métier : ils le faisaient bien. Qu'est-ce qu'il nous restait, à nous, à part la mort telle quelle ? Qu'est-ce que nous pouvions faire, sinon les frapper de cette mort qui nous tenait au corps depuis la naissance ?

Le civil a posé une autre question. Pour qu'il me laisse tranquille, je me suis dit que j'allais lui répéter les paroles du vieil Ali sur la religion qui n'avait rien à voir avec cela. Musulman, Noir,

Blanc ou Arabe, ça ne voulait rien dire. La seule chose qui comptait, c'était le fait de vivre mal.

« C'est ça qui vous jette dans le vide. » Il m'a demandé ce que j'entendais par là. Je n'ai pas eu la patience de revenir en arrière ; ça ne servait à rien de lui expliquer, parce qu'il n'avait jamais vu le plateau. « Qu'est-ce que c'est, le plateau ? » a-t-il demandé en griffonnant une note sur son carnet. J'ai réfléchi un instant, puis je lui ai dit qu'il fallait connaître le ciel blanc et froid d'Évreux, de tous les endroits d'où viennent les malheureux. Si on ne connaît pas ça, on ne peut pas comprendre pourquoi le monde ne tourne pas rond.

« Donc tu es devenu un monstre par gentillesse pour ton amie imaginaire et parce que le climat de chez toi n'était pas assez doux. Ou peut-être parce que ton Papa et ta Maman ont divorcé quand tu avais dix ans. Ou encore parce que la fille de tes rêves se fait sauter par tout ce qui bouge, sauf toi. Mon pauvre garçon. C'est vrai que ça ne doit pas être facile. »

J'ai couché la tête entre les bras et je lui ai demandé s'il avait fini. Il a répondu : « Hélas pour toi. » J'ai remarqué que le dos de sa chemise était mouillé quand il s'est levé. Ça me faisait plaisir de ne pas lui avoir facilité la tâche, mais en voyant entrer les deux soldats avec leurs sacs de sable, j'ai su que le gentil venait de quitter la pièce et que j'allais passer un sale quart d'heure.

Ils n'ont rien dit. L'un m'a passé des menottes et m'a attaché les mains derrière la chaise, pendant que l'autre, un gradé, ouvrait un des sacs de sable avec son canif. Ensuite, ils ont versé le sable dans un bac. Il y avait un tuyau d'arrosage accroché au mur. Ils l'ont déroulé pour arroser le sable. C'étaient tous les deux des Américains de base : nourris au grain, finis à la pisse. En les regardant, c'était difficile de ne pas penser que le monde serait un meilleur endroit si tous ceux de leur espèce pouvaient se vider de leur sang. Les moins-que-rien et les bouseux, en France, ont au moins la décence de ne pas demander leur reste. Ces deux-là, on voyait bien dans leurs yeux blasés qu'ils se croyaient seuls sur Terre et que tout leur était dû.

Le problème, c'est qu'ils aimaient faire joujou avec la mort, eux aussi. À la forteresse, on nous avait expliqué pourquoi il ne fallait surtout pas être pris vivant : « Vous vous battez jusqu'à l'avant-dernière cartouche, et vous gardez la dernière pour vous. Si vous êtes pris, ils vous feront mourir mille fois avant de vous tuer. »

Les soldats ont fait basculer ma chaise sur la table d'interrogatoire. J'ai vu celui qui avait des galons de caporal se pencher sur moi avec un entonnoir, mais je n'ai pas remarqué que l'autre s'était placé derrière la table. Quand celui-ci m'a ouvert la bouche, avec une sorte de pied-de-biche miniature, je n'ai pas eu le temps de crier. J'ai senti le sable mouillé me remplir la gorge, se déverser dans mes poumons, me remonter dans les sinus, déborder par mes narines. J'ai voulu respirer, mais je n'ai pas pu.

J'ai pensé : voilà, on y est. Je me suis dit aussi que la cruauté des civilisés n'a rien à envier à celle des barbares. Les genoux déchirés par la pierre, le tranchant de la lame sur la carotide, le sang hors de son lit. Chez les barbares, la peur et la souffrance duraient une poignée de secondes. Chez les civilisés, dans cette pièce aux murs blancs et purs comme leurs intentions, une agonie sans fin s'étalait devant moi.

J'ai senti que j'allais perdre connaissance. La seconde d'après, je me suis retrouvé à la verticale au-dessus de la table, tête en bas. J'ai vu le sable s'écouler de mes lèvres, entre mes dents. En passant la langue sur mes gencives, à l'intérieur de mes joues, j'ai senti des milliers de grains. Mes dents grinçaient, il m'a semblé qu'elles allaient se casser une à une. Je crois que j'ai vomi. Tout était flou, brûlant. Le sable sortait aussi par mes yeux, s'accrochait à mes paupières. J'ai vomi encore. Mes poumons étaient en feu, mais j'ai réussi à respirer. La sensation de l'air en moi a rempli mon corps de joie et ma tête de malheur. J'étais vivant, oui – vivant seulement pour que les deux soldats puissent me noyer dans le sable jusqu'à la fin des temps. Les bonnes âmes, disait Romain, les bonnes âmes font un long voyage.

J'ai craché quelque chose de noir, et je me suis aperçu que j'étais de nouveau assis à la table d'interrogatoire. Le gradé m'a rincé la figure et l'intérieur de la bouche avec le tuyau d'arrosage. L'autre a fermé le robinet, puis ils sont sortis. La brûlure dans ma poitrine et sur mes amygdales a commencé à s'éteindre. Je me suis raclé la gorge, et j'ai craché aussi fort que j'ai pu.

On a frappé à la porte. Le civil est entré, un verre d'eau à la main. Il m'a demandé comment j'allais. « Bien. » Il a posé le verre devant lui : « Vingt-quatre, tout de même. » Je me suis rendu compte que j'étais mort de soif. « Vingt-quatre quoi ? » Ma gorge était desséchée. Il a souri, puis il s'est mis à boire le verre d'eau, en prenant son temps. « D'après nos calculs, tu as décapité vingt-quatre prisonniers. Il y a en ce moment beaucoup de discussions pour te trouver une punition à la hauteur de ta performance. » Vingt-quatre, le chiffre ne me disait rien : « Un ou cent cinquante, c'est du pareil au même. Il n'y a que le premier qui compte. » Il a reposé le verre sur la table. « Comme les alcooliques, a-t-il remarqué en écrivant une nouvelle note sur son carnet. C'est un point de vue intéressant. Tu vas voir, les gens d'ici touchent leur bille en matière de désintoxication. »

J'ai eu très peur quand il s'est levé. J'ai voulu tendre les mains pour le retenir, mais elles sont restées coincées dans mon dos. Je me serais jeté à ses pieds si j'avais pu. Il s'est retourné, et il m'a dit que les deux soldats allaient revenir d'un moment à l'autre. J'ai secoué la tête. J'avais du mal à respirer, et je sentais le goût du sable dans ma bouche. Lui, il me fixait en silence, savourant sa victoire, ma misère comme un bon verre de vin. J'ai demandé comment je pouvais l'aider. Il a pris un air ennuyé : « Ne me dis pas que le sablier t'a brisé. Si ? C'est une déception. Tu n'as pas à t'en faire, cela dit. Mike et Andrew sont de grands professionnels. Ils n'aiment pas utiliser la même recette deux fois de suite, même si elle est très efficace. »

J'étouffais. Sans qu'on me fasse aucun mal, j'étais en train de m'empoisonner tout seul. Il avait raison : qu'est-ce que je valais, si j'implorais leur pardon après dix minutes de torture ? Il fallait que je me reprenne. Il fallait que je ruse, que je sois plus malin qu'eux.

J'ai essayé de respirer par le nez et je lui ai dit que je pouvais leur dessiner le plan de la forteresse. « Mieux que nos satellites ? Écoute-moi bien : ce que tu sais ou crois savoir, ça n'a aucune importance, aucune utilité. Tu sais pourquoi tu es ici ? » J'ai hoché la tête. « Non, tu ne sais pas. Tu es ici pour souffrir, indéfiniment, pour qu'on te réduise en poussière. Tu es en enfer. Tu ne verras jamais un juge, ni un avocat. Tu es dans un monde où il n'y a plus rien pour te protéger. Tu n'appartiens plus à l'humanité, tu es un animal qui doit vivre dans la terreur jusqu'à la fin de ses jours. Même dans ton sommeil, même dans tes rêves, tu ne te sentiras plus jamais en sécurité. Voilà comment on traite les enragés. » Il a donné deux coups sur la porte. Quand elle s'est ouverte, il m'a regardé une dernière fois et il a imité un aboiement : « Wouf wouf. Un enragé – elle n'est pas mal, celle-là. »

Mike et Andrew sont revenus quelques minutes plus tard. Ils ont découpé mon T-shirt, comme Ali il y a si longtemps, puis ils m'ont mis torse nu. Le gradé est ressorti et l'autre m'a versé une sorte de graisse qui sentait très fort sur la tête, les épaules et la poitrine. J'ai fait de mon mieux pour ne pas montrer ma peur, mais au fond de moi j'étais terrifié.

J'ai pensé que le gradé était parti chercher des pinces crocodile, un générateur, n'importe quoi pour m'envoyer du deux cent vingt volts dans les nerfs. J'avais tout faux : quand il est revenu, il était accompagné d'un berger allemand en laisse. J'ai pensé au chien des Bianconi derrière sa haie et je me suis dit que même les animaux tenaient leur vengeance. En me voyant, le berger allemand a commencé à tirer sur sa laisse et à aboyer. Sa truffe luisait, frémissait, il y avait quelque chose dans l'odeur de la graisse qui le rendait fou. Mon cœur s'est mis à cogner comme une pendule détraquée. J'ai eu envie de supplier les deux soldats, mais je me suis retenu. À quoi bon ? Ils étaient comme moi, après tout. Ils faisaient ce qu'on leur disait de faire.

Le chien a aboyé sans s'arrêter, exaspéré par la laisse, en montrant les crocs. Puis le gradé l'a lâché sur moi. J'ai senti ses griffes et son poids sur mon ventre, et je suis parti à la renverse. Ma tête a cogné le sol. J'étais sonné, mais conscient. Je voyais la gueule humide du chien comme un masque sombre au-dessus de moi. Il a commencé à donner de grands coups de tête sur le côté, en poussant des grognements. J'ai eu très mal. J'ai eu le temps de me dire qu'il s'attaquait à mon oreille, et je me suis évanoui.

5

C'est le bip-bip des battements de mon cœur sur la machine qui m'a fait revenir à moi. J'avais encore sommeil, mais je me suis forcé à ouvrir les yeux. Je voulais voir où j'étais. La pièce était blanche comme une chambre d'hôpital, sans fenêtre. Il faisait froid. J'ai bougé la main pour toucher mon oreille, et j'ai été surpris de ne plus être attaché. On m'avait enroulé un bandage autour de la tête comme si c'était un œuf de pâques. J'ai senti le pansement de gaze et le vide, l'absence de forme qu'il y avait en dessous. Le berger allemand avait terminé le travail de Nono. Mes paupières étaient lourdes, mais je n'avais pas mal. C'était plutôt le contraire : malgré le froid, je ressentais une sorte de bien-être, quelque chose de doux et de rassurant. Pour la première fois depuis l'accident du fils Bianconi, je n'avais plus l'impression qu'on m'attendait au tournant. J'ai fermé les yeux. Je me suis dit que les choses auraient pu être pires, et j'ai dormi un peu.

Un infirmier était en train de nettoyer les raccords de mes perfusions quand je me suis réveillé. J'ai levé les yeux et j'ai aperçu deux poches plastique, l'une remplie de rouge, l'autre d'un liquide clair. « Tu as perdu beaucoup de sang », a dit la voix du civil. J'ai tourné la tête. Il était assis de l'autre côté du lit, son carnet de notes à la main. Il m'a semblé voir de l'inquiétude dans son regard. « Tout est sous contrôle, mais ils ont dû te transfuser. » Il a montré l'autre tube : « Ça, c'est de la morphine. Ils peuvent augmenter le débit si tu souffres. » J'ai fait non de la tête, et je me suis demandé pourquoi il me traitait avec autant de gentillesse. « Je suis désolé, a-t-il repris, il faut que je t'annonce une mauvaise nouvelle. »

J'ai essayé de me redresser sur les coudes. « Ta mère est morte. Elle n'a pas souffert, d'après ce qu'on sait. C'est allé très vite. »

Je lui ai demandé de répéter, parce que j'ai pensé que je n'avais pas bien entendu. Il a répété que Maman était morte. J'ai dit merci, je ne sais pas pourquoi, et il m'a semblé que je m'y attendais. Oui, je l'avais déjà accepté. Maman était morte. Peut-être à cause de la morphine, de la fatigue, j'avais l'impression que c'était de l'histoire ancienne. Du moins, c'était le cours naturel des choses. Les gens vieillissent, ils tombent malades, puis ils meurent. Même ceux que vous aimez. Même celle dont vous êtes le fils. Libre ou en prison, je ne pouvais rien y changer.

« Quand ? »

Ça ne faisait aucune différence, mais je ne pouvais tout de même pas rester sans rien dire. Le civil n'aurait pas compris et il m'en aurait voulu. Moi, je voulais qu'il garde ses bonnes dispositions. La question a eu l'air de le surprendre : « On ne connaît pas la date précise. Il y a moins d'un mois, il y a plus d'une semaine. Elle a été enterrée. Dans ta ville – c'est tout ce que je sais. » Il a sorti deux photos de sa poche intérieure et les a posées sur le drap. J'ai reconnu le cimetière d'Évreux, la blancheur du ciel. Ça m'a étonné de voir autant de monde. On ne distinguait pas les visages, mais ils devaient bien être une quarantaine. J'ai cherché la longue silhouette de mon père et je l'ai trouvée, seule, un peu à l'écart, sous un parapluie. Il avait l'air d'un fantôme lui aussi.

« Tu peux lui écrire, a dit le civil. Si c'est ce que tu veux. » J'ai demandé de qui il parlait. Il s'est levé, et il a répété : « Tu peux écrire à ton père. On lui transmettra la lettre, si c'est ce que tu souhaites. Et il a ajouté : On peut aussi te donner des nouvelles de quelqu'un d'autre, ça dépendra de ta collaboration. » J'ai dit que je ne comprenais pas. « D'après les services turcs, quatre de tes collègues de la forteresse ont passé la frontière et sont partis en Europe. Deux auraient pris un vol Istanbul-New York. Il faut que tu nous racontes tout ce que tu sais sur eux. » J'ai acquiescé, et je lui ai demandé son carnet. J'avais à peine la force de tenir le stylo. J'ai cherché une page vierge, où j'ai écrit trois noms : Stéphanie, Salomé, Romain.

« Je ne connais que la première, a-t-il dit, mais je vais me renseigner. Tu sais bien que l'autre fille n'existe pas. »

J'ai fermé les yeux et je lui ai dit d'oublier Romain.

Dix minutes plus tard, on m'a apporté un plateau, du papier et un crayon. Je n'ai pas eu à chercher mes mots :

Mon cher Papa,

Je sais que tu ne recevras jamais cette lettre, parce qu'ils la liront et qu'ils décideront de ne pas te l'envoyer. Je n'y peux rien. La situation dans laquelle je suis, en pratique, m'empêche de vivre ma vie. On a décidé que je devais vivre comme un mort. C'est ainsi, je ne me plains pas. Mais il faut que tu comprennes que ce silence n'est pas ma faute.

Tout le reste, si : je ne peux m'en prendre qu'à moi-même. La vie à Évreux était trop petite. Tu le sais, puisque tu m'as dit que j'avais raison de partir. J'ai voulu vivre et devenir plus grand. J'y suis arrivé, en un sens. Il paraît que le monde entier connaît mon visage et mon nom. Avant, je n'étais personne. Je crois que je suis devenu quelqu'un.

Est-ce que tu es fier de moi, ou est-ce que tu as honte ? Est-ce que tu me hais comme tous les autres ? Je te jure, moi, que je n'ai pas changé : je suis toujours ton fils. Ils ont dû te demander si tu avais remarqué quelque chose durant les mois avant mon départ. À tous, tu as dû expliquer où et quand je m'étais radicalisé. Je te le promets : je ne suis pas un radical. Je ne sais pas ce que ce mot veut dire. Tout ce que je voulais, c'était exister. On ne peut pas vivre en sachant qu'on n'est rien. Je ne voulais pas de cette mort qui grignote du terrain en douce, la mort qui a tué Maman. Je ne voulais pas avoir le plateau pour seul horizon jusqu'à mon dernier jour.

Je sais que tu te demandes pourquoi, et que tu dois avoir de la peine.

Avant de t'expliquer, il faut que je te dise une chose : je n'en veux pas à ceux qui m'ont fait prisonnier. Ils ne comprennent rien à rien, mais ils n'ont pas besoin de comprendre. Ils sont les plus forts. Je ne peux pas leur en vouloir, seulement parce qu'ils ne voient pas le monde comme je le vois.

Ceux que je hais, ce sont tous ceux qui croient qu'on peut vivre comme nous vivons. Ceux qui vivent aussi mal que nous mais qui se sont résignés, aussi, parce qu'ils se disent que c'est normal. Est-ce que tu as accepté la défaite, Papa ? Est-ce que tu as baissé les bras ? Est-ce que tu trembles avec eux parce qu'ils t'ont raconté que les barbares sont à votre porte ? Ils te disent le contraire, mais ta porte ne sera jamais la leur.

Vous attendez les barbares ? Nous arrivons. Vous nous regardez avec horreur en cachant vos enfants et vous vous demandez comment vous défendre. Vous avez la bouche pleine de vos grands principes, vos belles valeurs, pendant que nous aiguisons nos lames. Vous vous serrez les coudes en pensant aux heures sombres où d'autres barbares sont venus. Mais vous n'avez pas compris, il n'y a pas de barbares. Nous sommes vous. Moi, le Français, tous ceux dont vous avez fait des coupeurs de gorge et des buveurs de sang plutôt que de nous donner une place en France. Vous regardez au loin, dans la poussière du désert. Nous sommes entrés depuis longtemps.

Vous ne pouvez pas nous faire la guerre : nous sommes vous. Nous sommes la mauvaise herbe, la grande maladie. Une fois que notre travail sera terminé, nous ne danserons pas sur vos tombes en remerciant le Très-Haut. Nous ne traverserons pas les océans pour ruiner d'autres civilisations. Vous ne pouvez pas comprendre : nous mourrons nous aussi, et il n'y aura ni vainqueur ni vaincu pour se souvenir de ces folies.

Je sais que vous essaierez encore de me briser. C'est trop tard, vous m'avez déjà tout pris : l'amour, la beauté des lendemains, vous avez tout fracassé.

Vous pensez que vous m'avez pris même ce qui fait de moi un danger. Mais je vous dis : je suis là, je suis là, je suis là. Est-ce que tu m'entends, Papa ?

Je suis là.

Je ne suis pas une petite chose et je vous arracherais le cœur de mes mains si elles étaient libres.

RÉALISATION : PAO ÉDITIONS DU SEUIL
IMPRESSION : CPI FRANCE
DÉPÔT LÉGAL : AOÛT 2016. N° 130825 (3017699)
IMPRIMÉ EN FRANCE